2,-

Victor Conzemius – Christen unserer Zeit

Victor Conzemius

Christen unserer Zeit

Paulusverlag Freiburg Schweiz
Echter Verlag Würzburg

CIP-Kurztitelaufnahme der Deutschen Bibliothek

Conzemius, Victor:
Christen unserer Zeit / Victor Conzemius.-
Freiburg, Schweiz: Paulusverl.; Echter Verlag,
Würzburg, 1988.

ISBN 3-7228-0178-8 (Paulusverl.)
ISBN 3-429-01141-8 (Echter)

Gesamtherstellung: Paulusdruckerei Freiburg Schweiz
ISBN 3-7228-0178-8 (Paulusverlag)
ISBN 3-429-01141-8 (Echter)

Für
Liesse und Charles Froelicher-Daneo

INHALT

Vorwort 11

Evangelische Diakonie 13
Eva von Tiele-Winckler (1866–1930)

Narr in Christo 17
Prinz Max von Sachsen (1870–1951)

Ein «einbeiniger Jesuit» überlebt das Tausendjährige Reich 21
Rupert Mayer (1876–1945)

Pionier christlicher Mission 26
Vinzenz Lebbe (1877–1940)

Ein Leben gegen den Rassenwahn 31
John La Farge (1880–1963)

Widerstand aus dem Glauben 35
Titus Brandsma (1881–1942)

Brückenbauer zwischen Theologie und Naturwissenschaft 40
Friedrich Dessauer (1881–1963)

Gott keine Grenzen setzen 45
Johannes XXIII. (1881–1963)

Ein Leben für die Arbeiterjugend 50
Josef Cardijn (1882–1967)

Erfüllte Witwenschaft 54
Geneviève Micheli (1883–1961)

Wegbereiter und Wegbegleiter 59
Romano Guardini (1885–1968)

Politik und Heiligkeit 63
Robert Schuman (1886–1963)

Das Leben drangeben 68
Max Joseph Metzger (1887–1944)

Der Engel von Sibirien 72
Elsa Brändström (1888–1948)

Erlittenes Charisma 76
Otto Karrer (1888–1976)

Die Flüchtlingsmutter 81
Gertrud Kurz (1890–1972)

Für eine solidarische Gesellschaft 86
Oswald von Nell-Breuning (geb. 1890)

Das andere Preussen 91
Elisabeth von Thadden-Trieglaff (1890–1944)

Ein politischer Theologe 96
Charles Journet (1891–1975)

Heilige ohne Grab 101
Edith Stein (1891–1942)

Sie wagte den Frieden 105
Dorothy Day (1897–1980)

Treue als Antwort auf Undank 109
Giuseppe Crivelli (1900–1975)

Noch Platz im Boot 114
Paul Vogt (1900–1984)

Im Feuer Gottes 118
Alfons Rosenberg (1902–1985)

Verhüllte Tage 122
Reinhold Schneider (1903–1958)

Ein gewagtes Leben 127
Tisa von der Schulenburg (geb. 1903)

Der Christ der Zukunft 131
Madeleine Delbrêl (1904–1965)

Politik aus dem Evangelium 136
Giorgio La Pira (1904–1977)

Im Feuerofen der Zeit 141
Franz Stock (1904–1948)

Im Angesicht des Todes 146
Alfred Delp (1907–1945)

Gott mehr gehorchen als den Menschen 150
Franz Jägerstätter (1907–1943)

Ein Leben mit den Müll-Menschen 155
Mutter Emanuela von Kairo (geb. 1908)

Unerschrockene Menschlichkeit 160
Madeleine Barot (geb. 1909)

Verkündigung als Auftrag 165
Jacques Loew (geb. 1909)

Meister geistlichen Lebens 170
Carlo Carretto (geb. 1910)

Strafsache: Polenfreundlichkeit 175
Josef Ströder (geb. 1912)

Von der Belastbarkeit des Bischofsamtes 181
Julius Döpfner (1913–1976)
Italienischer Katholizismus radikal 186
Giuseppe Dossetti (geb. 1913)
Frau und Kirche 190
Marga Bührig (geb. 1915)
Dynamik des Vorläufigen 194
Roger Schutz (geb. 1915)
Für die Armen kämpfen 199
Joseph Wresinski (geb. 1917)
Im Teufelskreis des Alkohols 204
Aimé Duval (1918–1984)
Urzelle Familie 208
Hermann Gmeiner (1919–1985)
Herdfeuer entzünden 212
Chiara Lubich (geb. 1920)
Ohne Augen und ohne Hände 216
Jacques Lebreton (geb. 1921)
Theologe des Teilens 221
Meinrad Hengartner (1925–1984)
Politik – Frau – Kirche 225
Hanna-Renate Laurien (geb. 1928)
Zu-Fälle: Wer spielt sie uns zu? 230
Ruth Pfau (geb. 1929)
Das Herz als Massstab gesetzt 234
Maria Bossard (1932–1982)
Hoffnung von Millionen 238
Corazon Aquino (geb. 1933)
Personenregister 243
Bildnachweis 246

VORWORT

Niemand hat Gott von Angesicht zu Angesicht gesehen. Aber viele Menschen haben ihre Erfahrungen mit Gott gemacht. Weil ihr Glaube lebendig war, läßt sich aus ihrer Gotteserfahrung Glauben lernen. Nun meinen manche Zeitgenossen, geglücktes Christsein sei nur in früheren Zeiten, in ausgesprochenen Hoch-Zeiten des Glaubens möglich gewesen: in der frühen Kirche, im Mittelalter, in der Reformationszeit und vereinzelt in ausgesparten Reservaten späterer Jahrhunderte. Die Moderne mit ihrem Kühlhausklima des Unglaubens und der vielfältigen Sachzwänge, so meinen viele, biete kaum noch Möglichkeiten, ein voller Mensch und ein redlicher Christ zu sein.

Gegen diese Auffassung spricht die Tatsache, daß es auch in unserer Zeit Frauen und Männer gibt, die in der Bewältigung ihrer persönlichen Lebensprobleme oder im Angehen neuer Aufgaben aus ihrem Glauben eine weltgestaltende, ja weltverändernde Kraft bezogen haben. Wir begegnen ihnen in allen Berufen und Lebensaltern. Es sind: Hausfrauen und Staatsmänner, Schauspieler und Ärzte, Entwicklungshelfer und Ordensschwestern, Priester und Laien, Kranke und Gesunde, Bauern und Arbeiter, Gelehrte und Ungelehrte. Nicht nur strahlend telegene Sonnenkinder sind darunter, sondern auch Gestrauchelte, Zweifler, Verzweifelte, Labile, Alkoholiker, Süchtige, Menschen, die Schlagzeilen machten, und solche, die im Verborgenen wirkten und wirken. Einige sind bereits von uns gegangen, andere noch mit uns unterwegs.

Ihr Beispiel kann uns Mut machen, in unserer eigenen Existenz und Lebensgeschichte Gottes Anruf zu hören und uns darauf einzulassen. Wenn sie den Kraftquell des Glaubens suchten und fanden, warum soll es uns verwehrt sein, mit ihnen als Wegbegleiter auf dieser Fährte zu bleiben?

Die fünfzig vorliegenden Porträtskizzen erschienen von 1985 bis 1986 im Pfarrblatt der katholischen Pfarreien der Region Basel und wurden von verschiedenen Pfarrblättern anderer Regionen übernommen. Herrn Josef Knüsel danke ich für die Anstiftung zur Reihe, der Redaktion der «Freiburger Nachrichten» für die teilweise Überlassung von Satz und Bildvorlagen.

Evangelische Diakonie

Eva von Tiele-Winckler (1866–1930)

Wie der reiche Jüngling im Evangelium hat sie es nicht gemacht. Als Jesus sie anschaute, hielt sie seinen Blick aus, ging hin, verkaufte, was sie besass, und folgte ihm nach.

Eva Gräfin von Tiele-Winckler (1866–1930) wurde als achtes Kind einer Grossindustriellen-Familie in Miechowitz (Schlesien) geboren. Es mag sein, dass der frühe Tod ihrer Mutter sie nachdenklicher als andere Mädchen ihres Alters und Standes machte. Sie selber datiert ihre «erste Erweckung» auf die Bibellektüre zur Zeit ihres Konfirmationsunterrichts. Es war das Bild vom guten Hirten (Joh 10), das sie in unerklärlicher Weise anzog.

«Zum erstenmal sah ich, wie in einer plötzlichen Erleuchtung durch das Wort, die Herrlichkeit Jesu als guter Hirte, der das Verlorene sucht. Nie war er mir in dieser Gestalt begegnet, nie hatte ich von ihm in dieser Weise gehört.»

Keine Schäferidylle, sondern Ruf zur Hingabe

«Gleichzeitig mit der inneren Offenbarung Christi erwachte in mir eine neue heisse Liebe zu den Armen und Elenden. Sie kam über mich wie eine bezwingende Macht, wie eine Herz und Gedanken hinnehmende Leidenschaft. Die Augen wurden mir geöffnet für den Jammer der Erde. Ich litt mit den Leidenden, und ich hatte nur noch ein Verlangen: mein Leben hinzugeben, um dem Elend zu helfen.»

Auszug aus dem Schloss

An Arbeitsfeldern fehlte es nicht. Die Armen und Elenden standen draussen vor den Toren des väterlichen Schlosses. Eva Tiele beginnt nicht mit einem organisatorischen Konzept, sondern wendet sich einem Jungen zu, der täglich aus Abfällen seine Nahrung zusammensucht. Sie bezahlt aus ihrem Taschengeld tägliche Mahlzeiten für ihn und macht sich zu seiner Fürsprecherin beim Amtsvorsteher des Dorfes.

Zunächst werden im väterlichen Schloss zwei Räume für das diakonische Werk zur Verfügung gestellt. Zu Weihnachten 1890 überrascht der Vater sie mit einem Bauplan für ein Haus «Friedenshort». Doch den Wunsch des Vaters, im Schloss zu wohnen und von hier aus den Friedenshort zu verwalten, kann sie nicht erfüllen. Es zieht sie dazu, das Leben ihrer Schützlinge zu teilen.

Heimat für Heimatlose

Zwar wurde sie 1893 als Diakonissin eingesegnet. Aber es folgten noch schwierige Jahre des Reifens und des Suchens nach einem eigenen Weg. Friedrich Bodelschwingh, der Gründer der Bethelschen Anstalten, beriet sie in den Anfängen ihrer Tätigkeit und ermunterte sie, eine Schwesternschaft um sich zu sammeln. Zu dem ihr vom Vater geschenkten Haus kommen noch 27 weitere Gebäude hinzu. Hilfsbedürftige und Helfer bilden eine Gemeinschaft: Pflegebedürftige, ältere Menschen, Behinderte, Strafgefangene, Nichtsesshafte. Besonders die Kinder, meist aus entwurzelten Familien stammend, in Kleinfamilien untergebracht, wechseln aus der Rolle der Bedürftigen in die Funktion der Mithelfenden. 1907 dürfen Eva Tiele und ihre Mitschwestern mit kaiserlicher Ermächtigung in Strafanstalten fürsorgerisch und seelsorgerlich tätig sein. 1910 wird die erste Kinderheimat im Haus «Warteberg» bei Breslau eingerichtet. Im Laufe der Jahre entwickelt sich daraus die «Heimat für Heimatlose GmbH» mit über 40 Häusern für Kinderfamilien in ganz Deutschland.

Mutter Eva

Nach dem Ersten Weltkrieg ging Mutter Eva bei der Abstimmung nicht zur Wahlurne, weil sie offenbleiben wollte auch für die Polen, deren Sprache sie gelernt hatte. Ihren Schwestern – über 700 hatten sich um sie geschart – gab sie den Rat: «Im Herzen nur eine Leidenschaft – zu lieben, zu helfen.»

Zahlreiche Spannungen gab es in ihrem Leben zu bestehen – sie war katholisch getauft (die frühverstorbene Mutter war katholisch), evangelisch konfirmiert und immer wieder hin- und hergerissen zwischen Weltabgeschiedenheit und Weltzuwendung. «Hilf mir heraus aus mir selbst», schrieb sie in ihr Tagebuch. Am 21. Juni 1930 starb sie. Über der für ihres Wohnzimmers stand der Spruch:

«Glückselig sind die Bettler im Geist, denn ihrer ist das Königreich der Himmel.»

Vgl. Alex Funke: Eva von Tiele-Winckler. «Mutter Eva». Freiburg/Schweiz und Hamburg 1981.

Narr in Christo

Prinz Max von Sachsen (1870–1951)

Er war ein Original im wahrsten Sinne des Wortes. Wer ihm in seinen letzten Lebensjahren in Freiburg i. Ue. begegnete, den Blick gesenkt, die Hände vorne in den Ärmeln einer abgeschabten Soutane als einer Art Muff verschränkt, sich in einem überdimensionierten Schuhwerk vorwärts schiebend, auch im Winter meist ohne Kopfbedeckung, nur den Strahlenkranz schlohweissen und noch immer buschigen Haares vorzeigend, der wusste, dass dies kein gewöhnlicher Sterblicher war. In der Tat, der Mann, der so ganz entgegen den guten bürgerlichen Gepflogenheiten durch die Strassen schlurfte, war kein Geringerer als S. K. H. Prinz Max, Herzog zu Sachsen, Päpstlicher Hausprälat und Professor für Kulturen und Literaturen des Ostens.

Seelsorger und Gelehrter

Ungezählte Anekdoten zirkulierten über Prinz Max. So soll er einmal in der Apotheke ein Flohmittel für seine geliebte Hündin Netti verlangt haben, welches die Parasiten nur betäube, nicht töte. Die möglicherweise wahre Anekdote verrät franziskanische Wesensart, allerdings individualistisch zugespitzt. Das mag mit seiner Herkunft aus königlichem Hause zusammenhängen, mit den Rollenzwängen, mit denen er sich abzufinden hatte, und mit den extremen Reaktionen, mit denen er auf diese Zwänge reagierte. Seine Entscheidung für das Priestertum – 1896 Priesterweihe in Eichstätt – war echt. Ihn gelüstete nicht nach Pfründen und kirchlichen Würden – andere wollten ihn in diese Richtung schubsen –, er wollte menschenfreundlicher Seelsorger und Gelehrter im Dienst der Kirche werden. Für die Menschenfreundlichkeit sprachen sein Gemüt und die grossen Mittel, über die er als Angehöriger eines regierenden Fürstenhauses bis 1918 verfügte. Für gelehrte Forschung, insbesondere Sprachen und Kulturen des Balkans und Vorderasiens, besass er eine ungewöhnliche Sprachbegabung, die ihm mit mehreren Mitgliedern seiner Familie eigen war. Die Unrast und Sprunghaftigkeit seines Temperaments jedoch verhinderten, dass er in diesen

Jahren als Seelsorger Wurzeln schlug; Neider und Missgünstige trugen dazu bei, dass sein Eintreten für eine Wiedervereinigung mit den Orthodoxen 1908 von Rom als unrealistische Utopie, die den katholischen Glauben gefährde, verurteilt wurde. Sang- und klanglos liess die Theologische Fakultät der Universität Freiburg i. Ue., an der er damals dozierte, Dr. Max, Herzog zu Sachsen, fallen.

Lebensreform und Pazifismus

Im Ersten Weltkrieg betätigte er sich als Feldgeistlicher und als Lazarettseelsorger. Inzwischen hatte er sich zu einer Lebensweise entschlossen, die gerne als die spinniger Sonderlinge angesehen wird: Seit 1907 war er Abstinenzler, seit 1913 Vegetarier. Der Weltkrieg bestärkte ihn in einer anderen Absonderlichkeit: dem Pazifismus. In der Zeit der Weimarer Republik übten deutsche Soldatenverbände Druck auf den seit 1921 an der Philosophischen Fakultät in Freiburg lehrenden Prinzen aus, sich in seinen Vorträgen Zurückhaltung aufzuerlegen. Prinz Max versuchte, seine Ideen für Lebensreform und Pazifismus in Pamphleten und Vorträgen zu verbreiten. Doch für den katholischen Normalbürger war das zuviel. Immer mehr geriet er in eine Situation, die ihn in die Rolle des frommen, aber weltfremden und skurrilen Einzelgängers verwies. Dass Randfiguren der Gesellschaft, Ausgeflippte der Zeit vor und nach dem Zweiten Weltkrieg, Strafgefangene, sich besonders zu ihm hingezogen fühlten, passt in dieses Bild.

Sinn des Narrenkleides

Prinz Max, in seiner Unstetheit und Unrast, war eine Pilger-Existenz, der Typ des in der russischen Frömmigkeit beheimateten Narren in Christo. Das Narrentum in Christo beruft sich auf die «Torheit des Kreuzes», die den Weisen verborgen bleibt: wer in die Kreuzesnachfolge tritt, wird in den Augen der Welt immer närrisch bleiben. Als Mahner, Rufer, Warner, Ankläger tritt er im Narrenkleid des zerlumpten Bettelmönches vor die Herrschenden in der Kirche und entlarvt die Überspanntheiten ihrer Macht. Die erste Reaktion mag Abscheu und Kopfschütteln sein. Doch dann leuchtet geistliche Fröhlichkeit auf, so hell, dass sie – vielleicht – bei einigen Umkehr aus innerer Einsicht bewirken kann.

Vgl. Iso Baumer: Prinz Max von Sachsen. Einheit der Kirchen – Lebensreform – Frieden. Freiburg/Schweiz und Hamburg 1985.

Ein «einbeiniger Jesuit» überlebt das Tausendjährige Reich

Rupert Mayer
(1876–1945)

Wer heute durch die Kaufingerstrasse, die belebteste Geschäftsstrasse Münchens, geht, wird, wenn er neben der St. Michaelskirche die Unterkirche des Bürgersaals – früher Versammlungsraum der marianischen Männerkongregation der Jesuiten – aufsucht, eine Entdeckung machen. Er wird immer wieder Beter in diese Kirche zu kurzer oder längerer Rast einkehren sehen, die am Grabe von P. Rupert Mayer Stärkung holen. Der Besucher kann hier ein Beispiel spontaner Verehrung beobachten, wie wir sie aus früheren Zeiten der Geschichte der Kirche kennen, das ohne besonderes Zutun, etwa des Jesuitenordens, ins Leben getreten ist.

Ein flotter Typ wird Ordensmann

In einer Stuttgarter Kaufmannsfamilie aufgewachsen, trieb das wenig katholikenfreundliche Klima seiner Umgebung ihn zu einer wachsenden Identifizierung mit der Gemeinschaft der Kirche. Rupert Mayer, Hyperpatriot, guter Fechter und Tänzer, exzellenter Reiter – die besten Noten brachte der schlankgewachsene junge Mann im Turnen nach Haus –, entschied sich früh für das Priestertum. Er wollte Ordensmann werden, sich einer Gemeinschaft anschliessen. In Freiburg i. Ue., wo er einige Zeit studierte, liebäugelte er mit den Dominikanern, in Beuron testete er das benediktinische Klosterklima, zuletzt trat er – bereits Priester der Diözese Rottenburg – in den Jesuitenorden ein.

Grossstadtseelsorger

Es war eine gute Wahl, sowohl für ihn selber, wie für den Orden. Er wurde kein grosser Theologe, auch kein Schriftsteller – mit dem Redigieren hatte er immer seine Mühe –, sondern ein Volksmann von charismatischer Ausstrahlung, ein unerschrockener Zeuge des Evangeliums in bedrängter Zeit. Zunächst Volksmissionar, kam er 1912 in die bayerische Landeshauptstadt. Hier erhielt er den Auftrag, sich der

8000–10 000 jährlichen Zuwanderer anzunehmen, die meist Arbeiter, Lehrlinge und Dienstmädchen waren. Wie bei Carl Sonnenschein in Berlin riss in seinem Sprechzimmer der Strom der Hilfesuchenden nicht ab. Er war Sozialarbeiter, Stellenvermittler, Seelsorger und Volksprediger und stand seinen Mann in jeder Sparte. Doch spürte er, dass der Grossstadtseelsorger nicht allein gelassen werden dürfe. Mit zwei anderen Priestern gründete er die Schwesterngemeinschaft von der Heiligen Familie, Seelsorgehelferinnen würden wir heute sagen.

Flammenzeichen in düsterer Zeit

Bei Ausbruch des Ersten Weltkrieges meldete er sich an die Front, dorthin, wo tausendfach gestorben wurde. 1915 erhielt er als erster deutscher Feldgeistlicher das Eiserne Kreuz erster Klasse: für einen Jesuiten – sie galten als Reichsfeinde – eine ungewöhnliche Auszeichnung. Er wich keiner Gefahr aus. Über seinen Kameradschaftsgeist und seine Einsatzfreudigkeit lässt sich bei Hans Carossa einiges nachlesen. Im Dezember 1916 wurde er so schwer verletzt, dass ihm das linke Bein amputiert werden musste.

Der Kriegsinvalide zog sich nicht auf ein stilles Pöstchen zurück. Er trat in Versammlungen auf bei Adventisten und Kommunisten – einmal war er Vorredner des damals noch unbekannten Adolf Hitler –, organisierte Bahnhofgottesdienste am frühen Sonntagmorgen und leitete vor allem die Männerkongregation. Unter der Integrationskraft seiner Persönlichkeit nahm diese einen grossen Aufschwung. Pater Rupert war der populärste Seelsorger in München.

Er konnte nicht schweigen

Ignorieren konnten die Nationalsozialisten diesen Mann nicht. In seinen Ansprachen und Predigten hatte er sich ihnen kompromisslos entgegengestellt, und das auch nach 1933. Zwei Tendenzen, so erklärte er, machten den Nationalsozialismus für einen katholischen Christen unannehmbar: die Verwerfung des Alten Testamentes und die Aufpeitschung des Hasses gegen Andersdenkende. Es war jedesmal ein Schauspiel, wenn der beinamputierte hagere Jesuit mit seiner Prothese über die Marmorfliesen von St. Michael zur Kanzel ging und in seinen Predigten Gottes Satzungen über Anordnungen von Menschen stellte. Es war ein Schauspiel, bei dem manche den Atem anhielten. Die Konsequenzen blieben nicht aus. Am 7. April 1937 wurde für den «Hetzpater» Mayer «wegen seiner staatsschädigenden Reden Redeverbot für das gesamte Reichsgebiet verhängt». Der unerschrockene Mann wurde verhaftet, kam vors Schwurgericht, wurde verurteilt und ins Konzentrationslager Sachsenhausen-Oranienburg eingeliefert. Im August 1940 wiesen die Machthaber ihm wegen seines geschwächten Gesundheitszustandes das Kloster Ettal als Zwangsresidenz zu. Von hier aus kehrte er 1945 nach dem Zusammenbruch ins zerstörte München zurück und verausgabte seine letzten Kräfte. Am Allerheiligentag desselben Jahres starb er am Altar, stehend, während er den Satz sprechen wollte: «Es ist der Herr.» Die Leute sahen darin ein Zeichen und sagten. «P. Mayer ist nie umgefallen, nicht einmal im Tod.» Ein Heiliger war für sie gestorben. P. Rupert hat diesen Sachverhalt nüchterner gesehen: «Ein alter einbeiniger Jesuit lebt, wenn es Gottes Wille ist, länger als eine tausendjährige gottlose Diktatur.»

Vgl. Ludwig Volk: Pater Rupert Mayer vor der NS-Justiz. Zum 100. Geburtstag des Münchener Männerseelsorgers am 23. Januar 1976. In: Stimmen der Zeit 194 (1976); Wilhelm Sandfuchs: Pater Rupert Mayer. Verteidiger der Wahrheit – Apostel der Nächstenliebe – Wegbereiter moderner Seelsorge. Würzburg 1986.

Pionier christlicher Mission

Vinzenz Lebbe
(1877–1940)

Die Theologen lieben die grossen Worte. Die einfachen Christen können sie öfter nicht verstehen: «Adaptation», «Inkulturation», «Akkulturation» usw. Damit meinen sie vielfach, die Probleme bereits gelöst zu haben, die sich der Verbreitung christlicher Botschaft in nichtchristlichen Kulturen entgegenstellen. Dass es dazu etwas mehr bedarf, etwas Einfachen und zugleich sehr Schwierigen, eines Seitensprungs des Herzens, verschweigen sie. Vielleicht sind sie ahnungslos. Vinzenz Lebbe jedenfalls hat diesen Seitensprung riskiert und ist jenseits aller klugmeinenden Parolen zu einem echten Pionier christlicher Glaubensverkündigung geworden.

Flämische Herkunft

Freddy Lebbe war Flame, Sohn eines hablichen Notars in Gent. Dem Studenten hatten es die Biographien christlicher Missionare angetan. Er ruhte nicht, bis er bei den Lazaristen, einer Gründung des heiligen Vinzenz von Paul, eintreten konnte. Ihr missionarischer Schwerpunkt lag in China. 1901 schifft er sich nach China ein und wird dort zum Priester geweiht. Die katholischen Missionen – nicht besser stand es um die protestantischen – lagen im Schlagschatten des westlichen Kolonialismus. Das französische Protektorat zum Beispiel gewährte den Missionaren militärischen und anderen Schutz, verlangte aber auch Konzessionen. So hintertrieb zum Beispiel die französische Regierung geflissentlich alle Versuche Chinas, mit dem Vatikan eigene Abmachungen zu treffen. Französische Missionsbischöfe bewiesen ihren Patriotismus, indem sie nach Kräften zu verhindern versuchten, dass andere Länder sich in China niederliessen.

Dass China den Chinesen gehörte, realisierten nur wenige. Zu diesen zählt der junge Vinzenz (Ordensname) Lebbe. Er versteift sich darauf, die chinesische Sprache zu lernen, sich wie die Einheimischen zu kleiden, mit ihrer Nahrung vorliebzunehmen, sich ihre Gebräuche anzueignen, sich zu ihrer Kultur zu bekennen. Das bringt ihn in Konflikte mit denjenigen, die von ihrem europäischen Zivilisationsdünkel eingenommen sind und die Chinesen wie unmündige Kinder behandeln.

Kreuzweg und Ostern

Für Pater Vinzenz ist diese Haltung nicht nur problematisch. Sie ist direkt ein Hindernis für das christliche Glaubenszeugnis. Allzu vieles gibt es unter den aus Europa importierten christlichen Gebräuchen und Zeremonien, das dem Empfinden der Chinesen völlig zuwider ist. Vinzenz Lebbe möchte, dass die Kirche sich stärker in der Gesellschaft und in der Presse einsetze. 1918 schliesst er die erste Übersetzung der Briefe des heiligen Paulus ins Chinesische ab. Er gründet eine Wochenzeitung – seit Oktober 1916 die erste katholische Tageszeitung des Nordens. Doch rufen seine Initiativen die Wachhunde des französischen Protektorats auf den Plan. Striktes Rede- und Schreibverbot werden ihm auferlegt. 1919 wird er aus China hinauskomplimentiert. In Paris baut er ein Hilfswerk für chinesische Studenten auf.

1926 ist es soweit. Am 28. Oktober 1926 weiht Pius XI. nicht bloss einen, wie Lebbe gehofft hatte, sondern sechs chinesische Priester zu Bischöfen. Am Abend des Weihetages sitzt Vinzenz Lebbe am Ehrenplatz unter ihnen, drei zu seiner Rechten, drei zur Linken.

«Ohne Sie», sagt Bischof Chao, «wären wir heute nicht Bischöfe.» Der rehabilitierte Lebbe darf nun wieder nach China zurück. Er ist unermüdlich tätig; als Studentenseelsorger, als Gründer einer Brüder-Kongregation und einer Schwestern-Gemeinschaft.

Der Triumph seines Lebens: Die Chinesen akzeptieren Lei-Ming-Yuan – so heisst er auf chinesisch – als einen der Ihren. Er wird zu einem nationalen Helden. 1938 überträgt Generalissimus Tschang-Kai-Chek ihm eine Art Kommissariat moralischer Aufrüstung: Er soll Opiumsucht und Käuflichkeit bekämpfen und den Widerstandsgeist bestärken. Die Kommunisten, die nun ihre eigenen Karten ausspielen, versuchen, ihn für sich zu gewinnen, und lassen ihn verhaften. Nach der Haftentlassung ist Vinzenz am 24. Juni 1940 im Chung-king gestorben.

Profil eines Missionars

Worum es Vinzenz Lebbe ging und was er bei denen voraussetzte, die sich auf das christliche Glaubenszeugnis in fremden Kulturen einübten, hat er einmal jungen Theologiestudenten anvertraut:

«Sie befragen mich über Ihr zukünftiges Leben. Als ich nach China ging, wusste ich überhaupt nichts von dem, was mich da erwartete, ausser der Hauptsache, dass ich zu den ‹Heiden› ging; ich war unwissend über das, was der Herrgott von mir verlangen würde, wie der heilige Paulus, als er von Antiochien wegzog ... Die Haupteigenschaft des Missionars muss eine Geisteshaltung sein, die ganz auf das Übernatürliche hinzielt; sie darf keine Fassade sein, die zusammenbricht, wenn die Natur ihr Zückerchen nicht mehr bekommt. Dazu kommen drei weitere Eigenschaften: die Güte und Demut des Herzens sowie das ‹Freut euch im Herrn allezeit›. Man kann das auch umschreiben als Spontaneität, Optimismus, Jugend des Herzens und unverwüstliche Bereitschaft, den Menschen zu dienen. Später, wenn man geschmeidig geworden ist und sich gehäutet hat, ich meine, wenn die europäische Haut durch eine echte chinesische ersetzt worden ist, wenn man von der Sprache mehr als eine oberflächliche Ahnung hat ... erst dann wird man nach und nach mit den Nichtchristen in Berührung kommen. Dann beginnt die schöne grosse Arbeit, das wahre Leben des Missionars, das einen so begeistern kann, dass alle Vorbehalte schwinden und man nur noch dankbar ist, dazu berufen worden zu sein.»

Vgl. Vinzenz Lebbe – Ein Chinese aus Flandern. In: Victor Conzemius: Propheten und Vorläufer. Zürich, Einsiedeln, Köln 1972, S. 232–250.

Ein Leben gegen den Rassenwahn

John La Farge (1880-1963)

Der Name des amerikanischen Negerführers Martin Luther King ist für viele ein Begriff. Durch seinen gewaltsamen Tod im Jahr 1968 ist er für die Menschen seiner Hautfarbe zu einer Symbolfigur geworden. Nicht weniger bedeutsam jedoch für die Integration des schwarzen Mannes in der amerikanischen Gesellschaft ist der Einsatz von Weissen für die Rechte des schwarzen Mannes gegen die Vorurteile der eigenen Rasse. Zu den unermüdlichen Vorkämpfern für die Freiheit und Gleichberechtigung der Rassen gehört der Jesuit John La Farge. Er stammte aus einer wohlhabenden Familie Neu-Englands; der Vater war ein berühmter Maler. Zum grossen Erstaunen seiner Eltern entschliesst John sich, Priester zu werden und in den Jesuitenorden einzutreten. Die Überzeugung, dass das sein Weg sei, kam von innen; niemand hat es ihm suggeriert.

Anwalt verlorener Anliegen

Seine labile Gesundheit verbietet ihm ein Wirken am Schreibtisch. So steigt er in die praktische Seelsorge ein, wird Kaplan, kommt den Menschen nahe und bleibt ihnen nahe. Drei Problemkreise beschäftigen ihn: die Schule, die Schwarzen und das Leben der Farmer. Der «Anwalt verlorener Anliegen», wie man ihn gerne nennt, ist ein sanfter Rebell. Er weiss, dass nicht Slogans und Protestgebärden die Gesellschaft verändern, sondern nur Wissen um Ursachen und Zusammenhänge, geduldige Aufklärungsarbeit und unverzagter Wiederbeginn, wenn eine Initiative beim ersten Zug nicht klappt. Pater John spezialisiert sich auf landwirtschaftliche Fragen. Er wird zum Experten, dessen Arbeit auch in Regierungskreisen geschätzt wird.

Im Laufe der Jahre macht er die – für die meisten von uns heute selbstverständliche – Entdeckung, dass der schwarze Mensch ein völlig gleichwertiger Partner ist. Der Weisse hat wohl einen gesellschaftlichen Vorsprung; das hängt mit seiner verschiedenen geschichtlichen Herkunft zusammen. Der Schwarze ist anders; doch er steht nicht unter dem Weissen. Weder die Rassentrennung noch viel weniger die Diskriminierung einer Rasse hat etwas mit Christentum zu tun.

Vorurteile noch und noch

Vorurteile gegen die Farbigen gibt es viele: Sie seien unzuverlässig, faul, bequem usw. Als Paradeargument bekommt er immer wieder zu hören: «Bei uns gibt es keine Rassenprobleme. Die Neger sind zufrieden. Sie haben alles, was sie wünschen. Pater La Farge bringt sie bloss durcheinander mit seinem Gedusel.» 1919 eröffnet er in seiner Pfarrei die erste Schule für Schwarze. Etwas später gelingt es ihm, eine Landwirtschaftsschule für Schwarze aufzumachen. Junge Farmer schwarzer Rasse sollen die gleichen Chancen bekommen, wie die jungen Weissen sie besitzen. Ihn stört nicht, dass Gegner ihm bösgemeinte Etikette anheften: Sozialist, Kommunist. Der zarte, gesundheitlich labile Mann nimmt das hin. Er ist von allen Ideologien meilenweit entfernt und ein unverbesserlicher Pragmatiker. Denn Gott hat alle Menschen gleich geschaffen. Jesus Christus, sein Sohn, ist für alle gestorben, nicht bloss, damit die Weissen sich eine privilegierte Welt aufbauen konnten. Es gehört mit zur Verkündigung der ganzen Botschaft des Evangeliums, auf die sozialen Folgen hinzuweisen, nicht nur in allgemeinen Sprüchen, sondern praktische Konsequenzen zu ziehen.

Seine Antwort – unsere Antwort?

Zu einer Zeit, da der Rassenwahn teuflische Triumphe feiert, im alten Europa diese unselige Verblendung die Gasöfen anheizt, die Menschen gegeneinander aufhetzt, schreibt er sein Buch «Gleichheit der Rassen».

In klarer und einleuchtender Sprache nimmt er gegen den Rassenwahn Stellung und begründet die Überwindung der Rassenschranken. Papst Pius XI. hält es für das beste Buch, das zu diesem äusserst aktuellen Thema geschrieben wurde. John La Farge und sein Freundeskreis erleben auch andere Erfolge. 1942 erwirken sie ein Gesetz, das faire Beschäftigungschancen für Angehörige aller Rassen festlegt. 1954 verbietet der amerikanische Oberste Gerichtshof die Rassendiskrimination in den Staatsschulen: Ein Meilenstein auf dem Gebiet der Integration der Schwarzen in die Gesellschaft seines Landes. Damit sind zwar nicht alle Probleme gelöst. Aber hierfür gilt die grundsätzliche Antwort, die John La Farge einmal so formuliert hat:

«In dem Masse, wie wir unsere eigene Antwort noch nicht gegeben haben, ist das Problem der Einheit der Menschen noch nicht gelöst.»

Vgl. John La Farge: The manner is ordinary. New York 1957 (Autobiographie); John La Farge – Vorkämpfer der Rassenfreiheit. In: Victor Conzemius: Propheten und Vorläufer. Zürich, Einsiedeln, Köln 1972, S. 206–218.

Widerstand aus dem Glauben

Titus Brandsma
(1881–1942)

Am 3. November 1985 hat Papst Johannes Paul II. den holländischen Karmeliten Titus Brandsma seliggesprochen. Brandsma war als Bekenner und Märtyrer seines Glaubens im Konzentrationslager Dachau gestorben. Ein Arzt hatte dem völlig entkräfteten sechzigjährigen Mann, der im Krankenrevier auf den Tod wartete, eine Gnadenspritze verabreicht. Brandsma war ins Konzentrationslager eingeliefert worden, weil er im Einverständnis mit Erzbischof de Jong von

Utrecht die katholische Presse in dem von den Deutschen besetzten Holland mündlich und schriftlich vor der Unterwanderung durch nationalsozialistisch gesinnte Holländer gewarnt hatte. Der Episkopat hatte gegenüber Kollaborateuren mit dem schärfsten Mittel gewarnt, das ihm zur Verfügung stand, mit der Exkommunikation.
Doch das war nur der formale Grund seiner Inhaftierung gewesen. In Wirklichkeit hatten die deutschen Besetzer schon längst nach einer Handhabe gesucht, um gegen den Karmelitenpater vorzugehen. Dieser hatte bereits vor der nationalsozialistischen Besetzung Hollands an vordester Front in Vorträgen und Artikeln vor der N.S.-Weltanschauung gewarnt und einen Schutzdamm gegen die braune Flut aufgebaut.
Wie kommt ein Ordensmann dazu, sich in dieser Weise im politischen Widerstand zu exponieren?

Holländischer Katholizismus

Brandsmas Wirken fällt in die Zeit, in der der holländische Katholizismus die Grundlagen für seine Prägekraft in der niederländischen Gesellschaft schuf. Vieles daran war «typisch holländisch», d.h. typisch für die Zeit: die Rom- und Bischofstreue, die schöpferische Initiativkraft, der rastlose Einsatz, die Geschlossenheit und straff-autoritäre Führung, das Selbstbewusstsein einer Minderheit, die sich nicht mehr an den Rand schieben lässt.
Geboren ist Anno-Sjoerd Brandsma – Titus ist Ordensname – auf dem Bauernhof Ugoklooster in Friesland. Von seinen sechs Geschwistern wählen alle, ausser einer Schwester, die heiratet, den geistlichen

Stand. Auch das ist typisch für die Zeit. Der begabte, aber stets kränkliche Schüler entscheidet sich für den Eintritt in den Orden der Karmeliten. Die Karmeliten stehen in der Tradition der Beschaulichkeit eines Johannes vom Kreuz und einer Therese von Avila. Wer jedoch unter « beschaulich » so etwas wie « Hände-in-den-Schoss-Legen » versteht, um der Gottesminne zu frönen, ist auf dem Holzweg.

Zeit der Aussaat

Der Lebensweg des Karmelitenpaters Brandsma ist weit entfernt von kontemplativer Genüsslichkeit. Von aussen her gesehen sieht er eher hektisch aus. An die Priesterweihe (1905) schliesst sich das Studium der Philosophie in Rom an, danach Jahre der Lehre und des Unterrichts in der ordenseigenen Schule in Oss. Brandsma, seit frühen Jahren ein vielverschlingender Leser, versucht, Aktion und Kontemplation miteinander zu verbinden : als geistlicher Schriftsteller, als Herausgeber von Zeitschriften, als Lehrer geistlichen Lebens. Insbesondere möchte er die Schätze der niederländischen Mystik im 14./15. Jahrhundert heben. Doch nicht, um sie in Bibliotheken verstauben, sondern um sie ins pulsierende Leben des holländischen Katholizismus einströmen zu lassen.

Wissenschaft und Leben

1923 wird er zum Erstaunen mancher Mitbrüder Professor für Philosophie und Mystik an der neugegründeten Universität Nijmegen. Vor einem Abgleiten in wissenschaftlichen Akademismus hält ihn bereits seine Leidenschaft für den Journalismus zurück. Wie er diese rastlosen Aktivitäten mit so verschiedenen Schwerpunkten in seinem schmächtigen und kränklichen Körper vereinigen kann und dabei noch Zeit für eine ausgedehnte Seelsorge findet, das ist sein Geheimnis. Es lässt sich nur aus der Ganzhingabe des Ordensmannes an seine Aufgabe als geistig-religiöser Vermittler begreifen.

Bekennen und Bezeugen

Vorwürfe, er mache zu viel, vernachlässige die Professur, verausgabe sich zu sehr, solche Vorwürfe waren an der Tagesordnung. Aber sie können ihn nicht von seiner konsequent-radikal erfassten Aufgabe christlicher Sinnvermittlung in einer Zeit menschenverachtender Ideologie abbringen. Den Nationalsozialismus hat er von Anfang an in allen seinen Masken durchschaut und sich nicht gescheut, die Dinge beim Namen zu nennen. So bezeichnet er die Rassengesetzgebung gegen die Juden 1935 als Schande und Akt der Feigheit. Der Bekenner des Glaubens stand darum bereits damals auf der schwarzen Liste der späteren deutschen Besetzer.

Dass auch eine solche politische Stellungnahme zum christlichen Zeugnis gehört, konnte der spanische Konsultor, der der für die Seligsprechung bestellten Kommission angehörte, lange Zeit nicht verstehen. Er opponierte, weil er Brandsma an einem schemenhaften Tugendkatalog mass. Im wahren Leben des Christen hingegen bleiben die Dinge zusammen, werden wir zu Entscheidungen genötigt, für die keine Theologie alle Entscheidungshilfen parat hat, erst recht kein abstrakter Tugendkatalog.

Vgl. Fausto Vallainc: Un Giornalista Martire. Padre Tito Brandsma. Milano 1961.

Brückenbauer zwischen Theologie und Naturwissenschaft

Friedrich Dessauer (1881–1963)

Wenn man ihm in den Strassen von Freiburg i. Ue. begegnete, so zog seine Gestalt unwillkürlich die Aufmerksamkeit auf sich: ein ungemein geistvoller Kopf mit einer schönen breiten Stirn und ein schmaler, von Narben verunstalteter Unterkiefer. Es war bekannt, dass Dessauer bereit gewesen war, seine Gesundheit den Röntgenstrahlen auszusetzen, um anderen eine Brücke zu Diagnose und Therapie sein zu können. Bis zum Jahr 1914 waren wegen Strahlenschäden zwölf

Operationen notwendig. Und bis zum Ende seines Lebens musste er mehr als 150 operative Eingriffe über sich ergehen lassen.

Forschung als Lebensaufgabe

Sich selber in die Bresche werfen, damit andere hinüberkommen, das hat Friedrich Dessauer in vielfältiger Weise verwirklicht: Als Forscher, als Politiker, als Gelehrter, als Pädagoge und als Christ. Die «Offenbarung einer Nacht» bestimmte sein Leben: Wilhelm Röntgens Strahlen-Entdeckung in der Nacht des 8. November 1895. Einige Monate später bastelte der 14jährige Frankfurter Industriellen-Sohn seinen eigenen Apparat. Als Student in München durchleuchtet er seinen älteren Bruder Hugo auf dem Krankenbett, erkennt den Krebs, helfen kann er ihm jedoch nicht. Er wird zu einem Pionier der Strahlenforschung und -technik, der Anwendung der Strahlenwelt für medizinische Zwecke. 1922 erhält er einen eigens für ihn errichteten Lehrstuhl für physikalische Grundlagen der Medizin, den ersten in Deutschland.

Dazwischen liegen randvoll gefüllte Jahre, Jahre der Forschung, unermüdliche Versuche, die Entdeckung im Laboratorium für industrielle und medizinische Ziele nutzbar zu machen, organisatorische Initiativen, die ihn als Unternehmer mit den Problemen der Arbeiterwelt vertraut machen. 1907 gründet er die «Vereinigten Elektronischen Institute Frankfurt-Aschaffenburg», die bei Ausbruch des Zweiten Weltkrieges 500 Arbeiter beschäftigen. Theoretische und experimentelle Untersuchungen über die biologischen Strahlenwirkungen, die Entwicklung der Hochspannungsapparate, Quantenbiologie sind seine Hauptarbeitsgebiete.

Ein politischer Wissenschaftler

Eigentlich würde das für ein Forscherleben genügen. Doch Friedrich Dessauer exponiert sich auch politisch. Im Zusammenbruch des Deutschen Kaiserreichs 1918 sieht er – einer der wenigen Katholiken mit Klarsicht – die positiven Aspekte. Ihm geht es um die Überwindung des Klassenkampfes. Er wird auch hier zum Brückenbauer: Mitbegründer und Vorsitzender des Frankfurter Bürgerrates, Mitglied der Zentrumspartei, Stadtrat, 1924 bis 1933 Abgeordneter des Reichstags und vor allem Gründer der «Rhein-Mainischen Volkszeitung» unter grossem Einsatz eigener finanzieller Mittel. Jüngster Redakteur war der heute noch lebende Publizist Walter Dirks. Das typische Schicksal der Brückenbauer blieb ihm nicht erspart: Die bischöfliche Behörde reagierte unwirsch auf den Reformkatholizismus, an den die jungen Redakteure anknüpften; der rechte Flügel des Zentrums kritisierte seine Loyalität gegenüber dem als links eingestuften Reichskanzler Wirth – er sollte ebenfalls in der Schweiz politisches Asyl finden –, die rechtsextreme deutschnationale Presse betrieb eine regelrechte Hetze gegen Dessauer. Zweifelsohne stand er auf dem linken Flügel des Zentrums. 1928 war er einer der zwei Abgeordneten seiner Partei, die mit den Sozialdemokraten für die Einstellung des Panzerkreuzerbaus stimmten.

Im Exil

Der nationalsozialistische Terror begann mit antisemitischen Schmähungen und Diffamierungskampagnen. Bereits im Mai 1933 wird Dessauer verhaftet. Bis Weihnachten bleibt er im Gefängnis. Nach seiner Freilassung belagert aufgehetzter Mob sein Haus. Dessauer wird wieder in «Schutzhaft» genommen und entschliesst sich zur Emigration. Er verliert sein Bürgerrecht und muss Hab und Gut – ein nicht unbeträchtliches Vermögen – zurücklassen. In der Türkei baut er ein Röntgeninstitut mit Poliklinik und eine Klinik für Krebsbehandlung auf. Da ihn der Umgang mit Strahlen in erneute Lebensgefahr bringt, übersiedelt er 1937 nach Freiburg i. Ue., wo er ein Ordinariat für Experimentalphysik innehat.

Wissenschaft und Glaube

Hier setzt er sich nochmals für weiteren Brückenbau ein: für die Verbindung von Wissen und Technik, für Freisein und Dienen, für Glauben und Leben. In Gemeinschaftswerken mit Theologen, Ethnologen und Kirchenhistorikern «Wissen und Bekenntnis» (1944) und «Seele im Bannkreis der Technik» (1952) wendet er sich an einen weiteren Leserkreis. Hier zieht er ein Fazit, das sowohl für das eigene Leben wie für den Weg der Entdeckungen in der Naturwissenschaft gilt: «Gross waren die Zusammenbrüche, aber grösser und wichtiger sind die Auferstehungen aus ihnen.» Ihm, der kein Abseitsstehen kannte und buchstäblich im Dienst der Menschen verbrannte, sich schwere körperliche Verbrennungen zugezogen hat, darf man Vertrauen schenken, wenn er zum Mitmachen einlädt:

«Wisse, die Unendlichkeit ist überall. Der Schlag deines Hammers, die Zahlen, die deine Feder in Kolonnen reiht, unermesslich gleichförmig, der Geschäftsbrief, den du schreibst, die Arznei, die du reichst – überall zittert die Unendlichkeit und die Frage ist nur, ob du sie spürst. Spürst du sie, dann ist nichts gleichgültig, dann zieht im kleinen Stück deines Werkes Gottes Reich ein.»

Vgl. Paul-Werner Scheele: Wegbereiter Wegbegleiter. Würzburg 1984, S. 131–173.

Gott keine Grenzen setzen

Johannes XXIII.
(1881–1963)

Ein Mythos

... ist dieser Papst geworden, ein Mythos lauterster menschlicher Güte und wahrer Frömmigkeit. «Johannes den Guten» möchten viele ihn nennen. Als ob Güte die hervorragendste Eigenschaft sei, die er verkörperte, vielfach im Gegensatz zu anderen Päpsten.

Viele waren enttäuscht

Angelo Roncallis Ruhm ist erst in den letzten Jahren seines Pontifikates und vor allem nach seinem Tode ins Unermessliche gewachsen. Als er Papst wurde, da waren fast alle in und ausserhalb der Kirche enttäuscht. Dieser dickliche Patriarch und Erzbischof von Venedig, der erst als 72jähriger eine Diözese übernommen hatte, war nicht nur ein unbeschriebenes Blatt, sondern eine Negativfigur: klein und rundlich, mit abstehenden Ohren, keine imponierende Herrschergestalt, sondern das genaue Gegenteil. Er kam aus der päpstlichen Diplomatie. Was kann Gutes von daher kommen?

Die aufgeklärten Katholiken wussten noch mehr: Nuntien sind Denuntiatoren, darauf versessen, alles Eigenleben in den Diözesen in Rom anzuschwärzen. Und von diesem Nuntius Angelo Roncalli meinten die Supergescheiten, er habe das Experiment der Arbeiterpriester 1951 in Rom zu Fall gebracht! «Übergangspapst» nannte man den 78jährigen, das heisst auf gut deutsch «Verlegenheitskandidat», der recht bald einer kraftvolleren Gestalt auf dem Stuhl Petri Platz zu machen habe.

Übergangspapst?

Nun hat wohl kein Papst in der Geschichte der Neuzeit in der kurzen Zeit seiner Regierung – kaum fünf Jahre – ein solches Kapital an Respekt und Verehrung angehäuft wie dieser Bauernsohn aus Sotto il Monte aus dem Bergamaskerland. Er war ein Übergangspapst im besten Sinne des Wortes: Er eröffnete für die Kirche ein neues Zeitalter und setzte für den Übergang vom 20. zum 21. Jahrhundert die Grenzpfähle.

Seine kirchliche Laufbahn hat etwas Zufälliges und Absichtsloses. Der talentierte Knabe aus gläubigem Bauernhause studierte wie viele andere brave Bauernsöhne Theologie, wurde Priester, Lehrer am Priesterseminar und Sekretär seines Bischofs. Er stand immer bereit, wenn es galt, eine Lücke zu füllen: als Direktor der päpstlichen Missionswerke Italiens, als Nuntius für Bulgarien, Griechenland und die Türkei – keine Glanzposten. Auch als er 1945 als Nuntius nach Paris berufen wurde, war das eigentlich nicht seiner diplomatischen Fähigkeiten wegen, sondern wegen der Unzufriedenheit Papst Pius' XII. mit der Regierung de Gaulle.

Wäre er als Patriarch von Venedig gestorben, so würde heute niemand mehr von ihm sprechen. Aber auch als Papst hätte man ihn bald vergessen, wäre er nicht ein Mensch besonderer Prägung gewesen. Gewiss beruht sein Ruhm zum guten Teil auf der Einberufung des II. Vatikanischen Konzils. Das war eine Grosstat. Doch darob vergisst man allzuleicht die tiefe, in den Traditionen christlicher Frömmigkeit verwurzelte Gläubigkeit dieses Mannes.

Lebendige Gottesbeziehung

Hier liegt der Kern seiner strahlenden Menschlichkeit. Ihr eigentliches Wesen war eine durch die herkömmlichen Übungen der Frömmigkeit – Gebet, Brevier, Meditation, Rosenkranz – lebendig gehaltene Gottesbeziehung.

Angelo Roncalli wusste sich in allen Lebenssituationen, auch in den schwierigsten, von Gott gehalten. Das gab ihm jene erstaunliche Ruhe und Sicherheit, die wir als innere Gelassenheit bezeichnen. Nicht das Phlegma des Dicken liegt dieser Gelassenheit zugrunde, sondern die Annahme seiner selbst, seiner Eigenart und auch seiner Schwächen. Angelo Roncalli hat aus dem Glauben heraus seine Beschränkungen ertragen und überwunden. Er hat seinen «Seelengarten» gepflegt, ohne der Pedanterie zu verfallen, hat sein eigenes Unkraut gejätet und sich mit der Ernte begnügt, die ihm zufiel.

Gottes Kraft in menschlicher Schwäche

Noch ein Weiteres gehört zu seinem Geheimnis. Roncalli war überzeugt, dass derjenige, der von Gott in eine Aufgabe, in ein Amt berufen wird, von ihm auch die Gnade erhält, sie zu erfüllen, falls er sich dieser Gnade und nicht der eigenen menschlichen Ängstlichkeit überlässt. Der Gnade Gottes hat er keine Grenzen gesetzt. Weder an seiner Herkunft aus einfachem Hause, noch an den Mängeln seiner theologischen Ausbildung, noch auch als 78jähriger hat er unnötig an seinem Alter gelitten und gesagt: Wäre ich 20 Jahre jünger! Jedes Alter, jedes Amt, jede Zeit waren für ihn Zeiten der Gnade.

Roncalli hat sich selber nicht so wichtig genommen. Er akzeptierte, dass er nie wusste, wohin Gott ihn führen würde, und dass keine menschliche Logik Gott auf die Spur kommt. Seine Erfahrung lag auf einer anderen Ebene. Sie lag auf derjenigen, auf welcher sich ein wahrer Gottsucher immer wieder findet, wenn er sich dem unsagbaren Geheimnis Gottes nähert. Er hat das mit den Worten ausgedrückt:

«Mir scheint, ich sei ein leerer Sack, den der Heilige Geist unversehens mit Kraft füllt.»

Vgl. E. E. Y. Hales: Die grosse Wende. Johannes XXIII. und seine Revolution. Graz, Wien, Köln 1966.

Ein Leben für die Arbeiterjugend

Josef Cardijn
(1882–1967)

Vom russischen Kommunistenführer Wladimir Lenin wissen wir, dass der frühe Tod seines Bruders Alexander ihn bewog, in dessen revolutionäre Fussstapfen zu treten. An der Bahre seines Vater legte der einundzwanzigjährige flämische Theologiestudent Jeff Cardijn das Gelöbnis ab, sein Leben der Arbeiterjugend zu widmen. Seine Jugenderinnerungen waren geprägt von den Auswirkungen der Industrie auf die Menschen, die frühmorgens zu den Papiermühlen, Giessereien und Textilfabriken eilten. Darunter waren Kinder, die sich den Schlaf aus den Augen rieben, während sie von den Älteren zur täglichen Fron mitgeschleppt wurden. «Es war, als ob man mir ein Messer in die Brust gestossen hätte», hat er später einmal gesagt.

Von Jugendeindrücken zum Lebensplan

Cardijn hat konsequent an der Verwirklichung seines Lebensplanes gearbeitet: Als Theologiestudent verfolgt er mit Heisshunger alle Initiativen, welche Christen zur Lösung der Arbeiterfrage ergriffen, als Priester und Vikar scheut er sich nicht, ungewohnte und neue Pfade zu betreten, um die Menschen zu erreichen. Aus vielen tastenden Anfängen wächst seine zentrale Idee: der Studienzirkel, in dem Lehrlinge, Büroangestellte und Arbeiter ihre Lebens- und Arbeitsprobleme diskutieren. Seine Methode fasst er einfach in der Kurzformel zusammen. «Voir, juger, agir – sehen, urteilen, handeln.» Nicht durch revolutionäre Agitation, sondern von sich aus, aus der persönlichen Analyse der Situation, sollen die jungen Leute auf ihre Kollegen und die Arbeitgeber einwirken und die Arbeitswelt verändern. Die Zielgruppe, die er erreichen will, sind die 17- bis 23jährigen, eine damals vorgewerkschaftliche Altersschicht.

Widerstände von rechts und links

An Widerständen fehlt es nicht. Für das katholische Besitzbürgertum, das notgedrungen die sozialistischen Gewerkschaften dulden muss, jedoch eine eigenständige christliche Arbeiterbewegung ablehnt, steht Cardijn zu weit links. Bei den Sozialisten, die das Monopol der Vertretung der Arbeiterinteressen für sich beanspruchen, ist die Reaktion feindseliges Misstrauen: «Rot oder kein Brot.» Als die Feindseligkeit, besonders der Kirchentreuen, auf dem Höhepunkt ist, fährt Cardijn nach Rom. «Endlich jemand, der mir von den Massen spricht», soll Pius XI. dem Flamen gesagt haben.

Die JOC: Eine Weltbewegung

Päpstliches Grünlicht gibt den Weg frei für die triumphale Entfaltung einer Idee. Im Zeitalter der totalitären Staatsjugend – faschistischer, nationalsozialistischer und kommunistischer Provenienz – gründet Cardijn eine freiheitliche Massenbewegung vor allem in den Ländern französischer Zunge. 1937 geht die Mitgliederzahl der Arbeiterjugend (JOC) in Frankreich und Belgien in die Hunderttausende. Was die JOC für die Jungen damals bedeutete, hat der Schriftsteller Maxence van der Meersch in die Worte gefasst: «Aus unserem Leben, das keine andere Perspektive vor sich hatte als eine lange Strasse des Elends, hat die JOC ein herrliches Abenteuer gemacht. Uns, den Enterbten, dem Abschaum und Strandgut der Gesellschaft, hat sie ein unvergleichliches Ziel vor Augen gestellt: In uns die ersten Jünger Jesu Christi wiederauferstehen zu lassen.»

Für das Priestertum der Laien

In der Tat war Josef Cardijn nach einem Wort von Kardinal Suenens von Brüssel derjenige Priester der

Neuzeit, der am stärksten an das Priestertum der Laien glaubte und es zu aktivieren verstand. Zwar hat seine Bewegung im deutschen Sprachraum nicht in dem Ausmass Fuss fassen können wie im romanischen, in Südamerika (Brasilien), Afrika und Asien: Die Vernachlässigung und teilweise Ausbeutung der Arbeiterjugend hat er als ein Problem kosmischen Ausmasses erkannt. Bis ins höchste Alter hinein – 1965 wird er Kardinal – ist er rastlos tätig und bezeichnet sich als «viermal zwanzig Jahre alt». Er war der prominenteste Belgier, der den ersten Kriegsdienstverweigerer seines Landes in seiner Gefängniszelle besuchte und sich für einen zivilen Ersatzdienst einsetzte.

Vgl. Josef Cardijn – Ein Leben für die Arbeiterjugend. In: Victor Conzemius: Propheten und Vorläufer. Zürich, Einsiedeln, Köln 1972, S. 287–303.

Erfüllte Witwenschaft

Geneviève Micheli (1883-1961)

Zwischen versteinerter Trauer und übermütiger Lebensgier bewegen sich die Klischeevorstellungen von jenen Frauen, die ihren Mann früh verloren haben. Ein Typus ist weniger bekannt: Derjenige der Frau, die nicht nur die eigenen Kinder grosszieht, sondern in der Erfahrung der eigenen Not zu einer Helferin in den Nöten anderer wird. Die Kirche verdankt solchen Frauen unendlich viel. Nur zwei Beispiele: Jeanne Frémiot de Chantal, die Gründerin der Salesianerinnen, und Elisabeth Seton, die Gründerin der Sisters of

Charity. Beide haben nach dem frühen Tode ihres Mannes für die eigenen Kinder gesorgt und Gemeinschaften ins Leben gerufen, die ihre dienende Hingabe in institutionalisierter Form durch die Zeiten weltweit weitertragen.

Acht Jahre Familienglück

Geneviève Micheli gehört zu diesem Frauentypus im reformierten Raum. Als Tochter eines nichtpraktizierenden katholischen Offiziers und einer protestantischen Mutter ist Geneviève de Lacroix in Mulhouse geboren. In Paris lernt sie den jungen Genfer Leopold Micheli kennen, der an der Bibliothekars- und Archivarenschule der Ecole des Chartes studiert. Sie heiraten und ziehen nach Genf. Hier wird der junge Mann Konservator in der Handschriftenabteilung der Universitätsbibliothek. Beide sind überzeugte Christen, nicht rückwärts-, sondern den sozialen Problemen des Lebens zugewandt. Zwei Mädchen und ein Knabe gehen aus ihrer Verbindung hervor. Leopold gründet mit Freunden einen Jugendklub für Lehrlinge und Arbeiter. Acht Jahre sind sie verheiratet, als der junge Mann bei einem Ferienaufenthalt in der Bretagne ertrinkt. Zwei Menschen kann er aus dem hohen Wellengang des Meeres retten, für ihn selber reicht es nicht. In der Totenwache, die Geneviève beim leblosen Körper des Mannes hält, vollzieht sich etwas Entscheidendes: in ihr wächst der Glaube an die Auferstehung.

Glaube an die Auferstehung

«Ich weiss, dass die Stunden, die wir bei demjenigen verbringen, der unsere Freude und unser Leben war und der jetzt leblos vor uns liegt, bereits weit weg von uns und stumm, zu den entscheidendsten Stunden unseres Lebens gehören. Glücklich diejenigen, denen es vergönnt war, sie allein zu verbringen, nicht in der geräuschvollen Hilflosigkeit menschlicher Tröstung, sondern im Hinabsteigen in die Tiefe des Todes in seiner Schrecklichkeit. Glücklich diejenigen, die hineingestiegen sind in das Grab, die weinen und um Verzeihung bitten konnten, die schweigend die Hilfe des Ewigen erwarten, die am Grabe wachten wie die Frauen beim toten Herrn... Die Frauen haben beim toten Christus gewacht. Aber als sie am dritten Tage zum Grab kamen, war der riesige Stein weggewälzt. Engel trugen ihnen auf, ihren Brüdern Kunde davon zu geben, dass der Herr auferstanden sei. Für uns trifft das gleiche zu. Unser Weg ist der Weg der Auferstehung.»

Mère Geneviève

Aus der geistlichen Erfahrung dieser Stunden und Tage heraus hat Geneviève ihr Leben gemeistert. Zunächst war sie für die Kinder da. Pierre trat in den diplomatischen Dienst. Er hat seine Laufbahn als schweizerischer Botschafter in Frankreich beschlossen. Zugleich aber stellt sie sich für andere Aufgaben zur Verfügung. Sie gibt Unterricht an einer Krankenpflegerinnenschule und besinnt sich mit Freundinnen

(«Les Dames de Morges») über die religiöse Erziehung der Kinder. In den dreissiger Jahren kommt eine neue Tätigkeit hinzu: Einkehrtage für Frauen in einem Haus bei Grandchamp (Neuenburg).

Die Freundschaft mit einer Benediktinerin der Abtei Ste-Françoise Romaine von Bec Hellouin (Normandie) lässt die Idee einer festen Gemeinschaft nach klösterlichem Vorbild reifen: Am Vorabend des Zweiten Weltkrieges beginnen zwei Frauen ein Gemeinschaftsleben in Grandchamp, das dem Gebet und der Aufnahme von Gästen gewidmet ist.

Geneviève Micheli kann sich noch nicht zum Eintritt entschliessen. Sie ist um theologische Vertiefung bemüht und steht in Austausch mit Frère Roger Schutz, dem Gründer von Taizé, der sich zu jener Zeit in Genf aufhält. Nicht ohne innere Kämpfe übernimmt sie 1944 die Leitung der Gemeinschaft und legt mit sieben Schwestern 1952 ihr Versprechen in der Reformierten Kirche ab. Kleine Zellen (fraternités) bilden sich in Algier, Beirut (bis 1963), Israel, Taizé und Genf.

Vom Reichtum der Armut

In der Entdeckung des Reichtums der Entäusserung liegt das, was Mère Geneviève über verwitwete Frauen schrieb:

«Die Witwe ist gleichzeitig Gattin, Mutter und Alleinstehende wie die unverheirateten Frauen. Sie kennt deshalb alle Reichtümer, Schwierigkeiten und Freuden der Frauen. Habt ihr an all das gedacht, was uns in unserer besonderen Situation zugefallen ist? Wir sind gleichzeitig die Schwester der glücklichen Gattin, weil wir ihr Glück gekannt haben und es teilen können; wir sind die Schwester der Unverheirateten in ihrem Alleinsein und in ihrer Verfügbarkeit, weil unsere Entäusserung uns mit ihr verbindet, mit dem Leiden ihrer Einsamkeit, aber auch mit dem Reichtum ihrer Verfügbarkeit.»

Vgl. Message de Sœur Geneviève Micheli (1883–1961). Paris 1986.

Wegbereiter und Wegbegleiter

Romano Guardini
(1885–1968)

Am 17. Februar 1985 wäre Romano Guardini hundert Jahre alt geworden. Für die Generation nach dem Ersten Weltkrieg und nach 1945 war er jene Gestalt, die innerhalb des deutschen Katholizismus die stärkste Ausstrahlung besass. Einer heutigen Generation ist er bereits fremd geworden. Er war der Sohn nicht gerade eines Gastarbeiters, sondern einer italienischen Industriellenfamilie, die in Deutschland nie heimisch wurde. Romano – in Verona geboren – übersiedelte mit den Eltern nach Mainz. Er hat als einziger der Familie für Deutschland optiert.

Ein zielloser Geist?

Dass er Priester und Theologe werden sollte, daran hat er als junger Mensch nicht gedacht. Wie viele junge Leute auch heute hat er sich seinen Lebensweg nach der Matura mühsam ertastet. Zunächst studierte er zwei Semester Chemie in Tübingen, wechselte dann über zur Nationalökonomie (drei Semester) und fand erst im Sommer 1906 den Weg zur Theologie. Voraus ging eine religiöse Krise, in deren Verlauf er merkte, dass sein herkömmlicher Gottesbegriff ins Wanken geraten war. Ein älteres, sehr gebildetes Konvertitenehepaar ist ihm in dieser Situation beigestanden. Die Einwilligung der Eltern war nicht leicht zu erhalten: Der Vater meinte – nach dem dreimaligen Umschwenken des Sohnes –, Romano sei ein ziellos unsteter Geist, der es zu nichts bringen werde. Die Mutter war der Auffassung, der Vater solle dem Sohn die Mittel zum Weiterstudieren sperren und ihn so zur Vernunft bringen. Langsam löste sich der elterliche Vorbehalt; doch die Grundwasser der Schwermut machten dem angehenden Theologiestudenten noch viel zu schaffen. Guardini erzählt, dass er auf einer Wanderung den Rosenkranz betete. «Da löste sich die Not, und ich wurde ruhig. Es war meine erste wirkliche Begegnung mit diesem Gebet, das mich später soviel beschäftigen sollte. Von jener Stunde an habe ich an meinem Priesterberuf nie mehr gezweifelt. Wohl ist die dunkle Flut der Schwermut immer unter meinem Leben hingegangen und mehr als einmal hochgestiegen; aber ich war mir darüber klar, dass ich zum Priester berufen sei und bin es bis auf den heutigen Tag geblieben.»

Verkünder und Seelsorger

Und was für einer ist er geworden, könnte man sagen! Ein ungewöhnlicher, einer, der völlig aus dem Rahmen fiel, nicht durch Ehrgeiz und Extravaganzen, sondern durch die Gewalt seines gesprochenen und geschriebenen Wortes. Die äusseren Momente seiner Laufbahn sagen nichts aus: 1910 Priesterweihe, 1922 Habilitation an der Universität Bonn für Katholische Dogmatik, 1923 Professor für «Katholische Religionsphilosophie und Weltanschauung» in Berlin. 1939 Absetzung durch die Nationalsozialisten, 1945 Professor in Tübingen, 1948 in München. Guardini wurde der Seelsorger vor allem der akademischen Jugend, deren aktivste Vertreter sich alljährlich auf Burg Rothenfels trafen. Er hat die liturgische Bewegung aus historischer Erstarrung gelöst und sie immer wieder auf den Anspruch der Seelsorge zurückgeführt. Er wurde zum Interpreten europäischer Geistesgeschichte, von Sokrates und Plato über Augustin, Dante, Pascal, Kierkegaard, Dostojewski, Hölderlin bis zu Rainer Maria Rilke. Er hat Gebet- und Betrachtungsbücher geschrieben und vor allem den Suchenden den Weg zum Christusgeheimnis erschlossen. («Der Herr. Betrachtungen über die Person und das Leben Christi.» 1939.) Sein Einfluss auf Generationen von Suchenden ist kaum zu ermessen.

Was nicht in seinen Büchern steht

All das steht in den vielen Büchern von ihm und über ihn. Was nicht drinsteht oder höchstens nur andeutungsweise, das sind die Schwierigkeiten, mit denen er zu kämpfen hatte, die Vorwürfe, die vor allem die lieben Mitbrüder ihm machten, die verbeamteten Nachfolger Jesu, denen der Universalismus seiner Persönlichkeit Angst einflösste. Sie warfen ihm alles vor, was Maulwürfe aufwühlen können: Er verstehe nichts von Exegese, kenne die Sprache rechter Theologie nicht, sei unpräzis im Denken, wiegele die Jungen auf, halte sich selber für etwas Besseres usw. Guardini hat unbeirrt an dem einmal erkannten Auftrag festgehalten und sich durch die Kleingeister nicht verunsichern lassen. So wurde er zum grossen Verkünder christlicher Hoffnung in unserem Jahrhundert, zu einem jener Männer, von denen wahres Christentum nie genug hat.

Vgl. Romano Guardini: Berichte über mein Leben. Autobiographische Aufzeichnungen. Hrsg. von Franz Henrich. Düsseldorf 1984; Hanna-Barbara Gerl: Romano Guardini 1885–1968. Leben und Werk. Mainz 1985.

Politik und Heiligkeit

Robert Schuman
(1886–1963)

Liegt in dieser Überschrift nicht ein innerer Widerspruch? Verhalten Politik, das «schmutzige Geschäft», und Heiligkeit, die Gottes Wirklichkeit zum letzten Massstab des Lebens setzt, sich nicht wie Feuer und Wasser? Die mittelalterliche Kirche war nicht zimperlich in der Heiligsprechung von Königen und Herrschern, auch von solchen, die bei diesem Geschäft Blut vergossen hatten. Dass es auch heute, wo die Politik viel komplexer und die Anforderungen der Heiligkeit genauer definiert sind, Menschen gibt, die durch die Lauterkeit ihres Wesens scheinbar unversöhnliche Gegensätze miteinander verbinden, dafür steht der Name von Robert Schuman, des französischen Staatsmannes und Mitbegründers der europäischen Einigung.

Mann der Grenzen

Robert Schuman wurde als einziger Sohn einer lothringischen Familie in Luxemburg geboren. Hier machte er, wohlbehütet in gläubiger Atmosphäre, seine Mittelschulstudien, bezog dann zum Studium der Rechte deutsche Universitäten und schloss 1910 in Strassburg – damals deutsch – mit dem juristischen Doktor ab. 1911 traf ihn ein schwerer Schlag, als seine Mutter tödlich verunglückte: Robert wird nicht Priester, wie einige dachten; mit ganzer Kraft will er als Laie in der Kirche seinen Mann stehen. Vorerst als Rechtsanwalt in Metz, wo er, nach dem Vorbild des lebendigen, organisationsfreudigen deutschen Katholizismus, sich für die Übernahme ähnlicher Initiativen im lothringischen Raum einsetzt. Er gehört zu den ersten Freunden der liturgischen Bewegung im deutschen Raum. Sie ist für ihn keine nach innen gewandte kult-ästhetische Beschäftigung, sondern besitzt eine eminent soziale Bedeutung. Die Ziele der im Entstehen begriffenen katholischen Friedensbewegung fesseln ihn; bereits vor dem Ersten Weltkrieg überlegt er, was man von dieser Seite für eine europäische Rechtsordnung tun könne.

Weltdienst als Gottesdienst

Der Erste Weltkrieg bedeutet eine entscheidende Zäsur in seinem Leben. Die Grausamkeit des Krieges bestärkt ihn in seiner pazifistischen Grundhaltung; der deutsche Überfall auf Belgien zerstört sein Deutschlandbild. Er orientiert sich jetzt nach Frankreich, das 1918 seine lothringische Heimat wieder in Besitz nehmen kann. 1919 wird er in die französische Nationalversammlung gewählt; seine lothringischen Wähler lohnen seine Treue zur Heimat, indem sie ihn regelmässig wiederwählen. 42 Jahre lang, bis zu seinem Tode, versieht Schuman sein Mandat: als harter Arbeiter, als Finanzfachmann und vor allem als einer, der nicht seinen eigenen Vorteil sucht, gewinnt er die Achtung aller Parteien. Was man mit spöttischem Unterton von ihm sagte, er nehme seinen Platz in der Abgeordnetenkammer ein wie ein Mönch im Chorgestühl, trifft zu. Robert Schuman hat sein politisches Mandat als einen christlichen Auftrag aufgefasst, Weltdienst war für ihn Gottesdienst.

Treue um Treue

Das sind nicht die besten Voraussetzungen für eine Karriere. 1940, nach dem französischen Zusammenbruch, ist der Rechtsanwalt aus Hinterlothringen kurze Zeit Unterstaatssekretär für das Flüchtlingswesen. Die Nationalsozialisten wittern in dem Mann des Grenzlandes, dessen erste Sprache Deutsch war, eine leichte Beute und versuchen, ihn mürbe zu machen. Er entflieht ihrer «Schutzhaft» und versteckt sich bis zum Kriegsende in Klöstern und Waisenhäusern.

1946 geschieht etwas Überraschendes. Der lothringische Provinzadvokat, dem niemand mehr Besonderes zutraut, wird französischer Finanzminister, zwei Jahre später Ministerpräsident. In acht kurzlebigen Kabinetten repräsentiert er die Kontinuität französischer Aussenpolitik. Als Aussenminister, als Baumeister Europas ist er in die Geschichte eingegangen.

Europäische Sternstunde

Seine Sternstunde schlägt, als er am 9. Mai 1950 in der französischen Kammer den Plan einer Europäischen Gemeinschaft für Kohle und Stahl zur Diskussion stellt. Er fordert «zur Überwindung des alten Gegensatzes zwischen Deutschland und Frankreich die Schaffung konkreter Tatsachen als Voraussetzung einer Solidarität der Tat». Der Schuman-Plan sieht vor, die Wirtschaftsinteressen von Deutschland und Frankreich so eng miteinander zu verflechten, dass ein Rüstungswettrennen zwischen den beiden Ländern unmöglich würde.

Am 18. April 1951 kann der Montanvertrag, die Grundlage des europäischen Einigungswerkes, unterzeichnet werden. Schuman will aber nicht nur wirtschaftliche, sondern auch politische Integration, Räte und Gemeinschaften, die der Kontrolle der öffentlichen Meinung unterstellt werden sollen. Unterwegs zur Verwirklichung der einzelnen Etappen dieses Einigungswerkes, musste er 1952 als Aussenminister zurücktreten. Laue Europäer gewannen wieder die Oberhand. Doch hat er der «Erbfeindschaft» zwischen Deutschland und Frankreich, die Ströme von

Menschenblut gekostet hat, ein Ende geboten. Das war eine Grosstat. Sie macht der Politik aus dem Geist wahren Christentums Ehre, welche so viele Staatsmänner mit nationalistischer Interessenpolitik besudelt haben. Der Mann, der in seiner Frömmigkeit grossen Worten abhold war, behielt auch als Aussenminister nach Möglichkeit den Besuch der täglichen Eucharistiefeier bei. Dass das Schicksal ihn, der in beiden Kulturen, der deutschen und französischen, zu Hause war, in entscheidender Stunde gleichsam in Bereitschaft hielt, darf Christen mit dankbarer Freude erfüllen.

Vgl. Victor Conzemius: Robert Schuman (1886–1963). Christ und Staatsmann. Freiburg/Schweiz und Hamburg 1985.

Das Leben drangeben

Max Joseph Metzger (1887-1944)

Sein Heimatort Schopfheim liegt nicht weit von Basel an der Schweizer Grenze. Ein Grenzüberschreiter ist Max Joseph Metzger immer gewesen: Im wörtlichen wie im übertragenen Sinn. Er war Ökumeniker zu einer Zeit, als Leute seines Schlags als Kantengänger verrufen waren, Pazifist in den Jahren, da solche Ideen ihn ausserhalb der Volksgemeinschaft stellten, Gesellschaftsreformer in einer Epoche, die diese Gedanken als verstiegene Illusionen klassierte. Von Haus aus hatte er diese Anlagen nicht mitbekommen. Der Vater

– Lehrer an der dortigen Bürgerschule – war nationalistisch, antisemitisch und antiprotestantisch eingestellt. Der recht selbständige junge Mann wird sich in die genau entgegengesetzte Richtung entwickeln.

Eine neue Gesellschaftsvision

Er studierte Theologie in Freiburg im Breisgau – das Freijahr verbrachte er in Freiburg i.Ue. 1911 wurde er zum Priester geweiht. Nach dreijähriger Kaplanszeit brach der Erste Weltkrieg aus. Metzger meldete sich als Divisionspfarrer an die französische Front. Doch eine schwere Rippenfell- und Lungenentzündung zwang ihn bereits im folgenden Jahr zum Ausscheiden. Er wurde zunächst Sekretär eines Verbandes abstinenter Katholiken in Österreich und suchte Anschluss an katholische Gruppen, die mitten im Weltkrieg für den Frieden eintraten.

Gewiss wurde er belächelt, dass er sozusagen als Plattform seines Wirkens die anti-alkoholische Bewegung wählte. Dahinter stand jedoch keine lebensfremde Griesgrämigkeit, sondern die Einsicht, dass eine globale Gesellschaftsreform und nicht nur ein Kampf gegen Symptome nottat. Wenn Menschen in den Alkohol getrieben wurden und sich treiben liessen, so hatte das konkrete Ursachen. Ihnen musste man nachgehen, den Stier bei den Hörnern packen.

Pazifist und Ökumeniker

In der erneuerten Gesellschafts-Vision durfte es keine Kriege mehr geben. Zuerst muss der konfessionelle

Hader unter Christen aus der Welt geschafft werden. Diesen beiden Zielvorstellungen widmet Metzger seinen ganzen Einsatz in der Zwischenkriegszeit. Er hält Vorträge landauf, landab und durchbricht das Vorurteil, dass Pazifismus nur eine Angelegenheit verstiegener Idealisten sei. Im durchschnittlichen katholischen Milieu, das stark nationalistisch aufgeputscht ist, macht er sich keine Freunde. Auf dem Kriegsgegner-Kongress von Den Haag im Jahre 1929 ruft er aus:

«Was not tut, das ist die Verbreitung der Einsicht in die Tatsache, dass der kommende Krieg in jedem Fall ein unerhörtes Unglück für jedes Volk, ob Sieger oder Besiegte, darstellt.»

Inzwischen hat sich um ihn eine Gemeinschaft von Brüdern und Schwestern gesammelt. 1928 übersiedeln sie von Graz nach Meitingen. Hier übernehmen sie unter anderem eine Trinkerheilstätte des Augsburger Caritasverbandes. Diese Gruppen schliessen sich später in der heute noch bestehenden Christkönigsgesellschaft zusammen. 1938/39 kommt es zur Gründung der Una-Sancta-Bruderschaft, die sowohl spirituell als auch durch theologische Gespräche das Anliegen der Wiedervereinigung im Glauben vorantreiben möchte.

Friedenseinsatz als Hochverrat

Mittlerweile hatte Hitlers Schreckensherrschaft in Deutschland begonnen. Bereits 1934 macht Metzger Bekanntschaft mit den nationalsozialistischen Gefängnissen wegen einer kritischen Schrift über das «Neue Deutschland». Nach dem Attentat auf Hitler im Bürgerbräukeller 1939 wird er zum zweiten Male eingesperrt. Aus dem Gefängnis schreibt er einen Brief an Papst Pius XII., in dem er um Einberufung eines allgemeinen Konzils für evangelische und katholische Christen bittet.

Die dritte Verhaftung hat tragische Folgen. Eine Frau – ursprüngliche Schwedin –, die sich bei ihm unter dem Schein des Interesses an katholischen Glaubensfragen eingeschlichen hatte, verrät ihn der Gestapo: Metzger wollte über sie den Text eines Friedensvorschlages an den lutherischen Erzbischof Eidem von Uppsala zur Weitergabe an englische Staatsmänner gelangen lassen. Im Schauprozess, der unter der Regie des infamen Vorsitzenden Roland Freisler durchgeführt wurde, wird er wegen Hochverrats zum Tode verurteilt. Am 17. April 1944 wird Max Joseph Metzger im Zuchthaus Brandenburg-Görden enthauptet. Nach der Hinrichtung sagt der Scharfrichter dem Gefängnisgeistlichen, er habe noch nie einen Menschen mit so frohen leuchtenden Augen in den Tod gehen sehen wie diesen katholischen Geistlichen.

Vgl. Paulus Engelhardt: Max Josef Metzger – Bruder Paulus. Freiburg/Schweiz und Hamburg 1980.

Der Engel von Sibirien

Elsa Brändström (1888–1948)

Über hundert Strassen und Schulen in Deutschland und Österreich sind nach ihr benannt. Noch nicht vierzigjährig, war sie bereits Ehrendoktor der Universitäten Uppsala, Tübingen und Königsberg, Ehrensenatorin von Halle. Und doch war sie keine Königstochter, der solche Ehrungen in den Schoss hätten fallen können. «Ein einfacher, aber ganz grosser, hinreissender Mensch, eine weltliche Heilige, vor der man knien möchte», so notierte der deutsche Diplomat Harry Graf Kessler 1931 in sein Tagebuch.

Überdruss am Leerlauf

War sie so weltlich, wie Graf Kessler schrieb? War ihr Dasein auf Rosen gebettet, wie Selma Lagerlöf meinte, als sie ihr in St. Petersburg begegnete, einer schwedischen Dame, «blond, vom edelsten nordischen Typ»?

Elsa Brändström, 1888 geboren, war die Tochter des schwedischen Militärattachés in Russland und seiner Frau, einer damals berühmten Tänzerin, Bridgespielerin, Rollschuh- und Schlittschuhläuferin. Elsa hatte alle Voraussetzungen, um sich in der letzten glanzvollen Epoche des russischen Zarenreiches «dem Wellenschaum des Augenblicks ganz hinzugeben». Doch sie fühlte sich zu anderem berufen. Eigentlich wollte sie sich der Erwachsenenbildung widmen.

Entdeckung einer Aufgabe

Doch es kam anders. 1914 brach der Weltkrieg aus. Als die ersten Verwundeten- und Gefangenentransporte von der Front eintrafen, waren die Damen der St. Petersburger Gesellschaft in Hochstimmung, um zu helfen, «Kissen zu schütteln» für die verwundeten Helden. Als diese Beschäftigung den Reiz des Neuen verlor und überfüllte Lazarette die furchtbare Wirklichkeit unverhüllt zeigten, flohen diese Damen wieder zu ihren Diners und Bridgepartien. Nicht so Elsa Brändström. Zum ersten Male besuchte sie im Herbst 1914 das Nikolaispital in Petersburg, in dem 4000 Verwundete lagen. Obwohl die Gefangenen in schlechteren Verhältnissen untergebracht waren als die russischen Verwundeten, schlug ihr hier eine

Welle von zielbewusstem Willen, von Kraft und Zusammenhalt entgegen.

Durchhaltewille steckt an

Dieser Durchhaltewille steckt sie an. Sie zieht einen Schlussstrich unter ihr Luxusdasein. Zunächst sammelt sie Kleider und Wollsachen für die Gefangenen. In der Schwesterntracht des Schwedischen Roten Kreuzes besucht sie die Lager, schickt Berichte über die Zustände nach Deutschland und Österreich, veranlasst Spendenaktionen in den Heimatländern der Kriegsgefangenen und richtet Krankenhäuser in den verschiedenen Lagern ein. In manchen Lagern sterben bis zu 50 Prozent der Insassen an Flecktyphus. Sie selber wird angesteckt, wird langsam wieder gesund und fährt fort zu arbeiten. Dass sie Russisch kann, ist ihr eine grosse Hilfe für jetzt und für später. Mundpropaganda trägt ihren Namen in die entlegensten Lager von Sibirien; sprichwörtlich wird die Rede vom Engel, der in Güterzügen, Durchgangsstationen, Krankenhäusern auftauchte und die vereisten Herzen der russischen Lagerleiter zum Auftauen bringe. Dreimal ist sie mit einer schwedischen Delegation nach Sibirien unterwegs, um Hilfe zu bringen, ungeachtet dessen, dass ihr einmal als Spionin mit Erschiessen innerhalb von vierundzwanzig Stunden gedroht wird.

Eine weltliche Heilige

Sechs Jahre ihres Lebens verbringt sie in ungeheizten Zügen, auf Holzpritschen in verlausten Baracken bei

40 Grad Kälte, in Typhuslagern und Steppeneinsamkeit. Von Depressionen – ein Erbteil der mütterlichen Linie – bleibt sie nicht verschont. Ihre Biographin sagt: «Sie ergab sich nie, spornte an, half, ermunterte, war für andere ein Kraftquell, ein heiliger Mensch – und kannte doch das Gefühl tiefster Verlassenheit.»

1920 kehrt sie nach Schweden zurück, doch nur, um in Vorträgen und Zeitungsartikeln für die Gefangenen und ihre Rückführung aus den Lagern zu sammeln. 1921 schreibt sie das Buch «Unter Kriegsgefangenen». Sie konnte Millionen harter schwedischer Kronen zusammenbringen, wurde triumphal gefeiert, auch in Amerika, und verlor doch ihre Gefangenen nicht aus dem Blick. In Deutschland gründete sie ein Arbeits-Sanatorium, um Gefangenen die Integration ins normale Leben wieder zu ermöglichen. 1929 konnte sie endlich an ein privates Leben denken: Sie heiratete den Dresdener Professor Robert Ulich. Als die Nationalsozialisten zur Macht kamen, musste sie wieder auf Wanderschaft. In Cambridge (Mass. U.S.A.) baute sie ein Heim, das vielen Flüchtlingen aus Deutschland offenstand. Bereits von einer unheilbaren Krebskrankheit gezeichnet, hat sie sich nach dem Kriege für die Gründung eines evangelischen Hilfswerkes in Deutschland eingesetzt. Sie starb am 4. März 1948. Bei der Trauerfeier wurde kein persönliches Wort gesprochen, sondern nur der 23. Psalm gelesen und 1 Kor 13 mit dem Schlusssatz: «Nun aber bleiben Glaube, Hoffnung, Liebe, diese drei; aber die Liebe ist die grösste unter ihnen.»

Vgl. Magdalena Padberg: Elsa Brändström. Freiburg/Schweiz und Hamburg 1979.

Erlittenes Charisma

Otto Karrer
(1888–1976)

Wer je die Ausstrahlung von Güte dieses Mannes erfuhr, wird geneigt sein, sein besonderes Charisma einem glücklichen Temperament zuzuschreiben. Nur wenige ahnten, dass seine bezwingende Eigenschaft, sich so ganz in fremdes Schicksal, in Probleme und Leid einzufühlen, in schwerer Prüfung herangereift war.

Kirchenkrise als Glaubensgewinn

Otto Karrer war Schwarzwälder aus Ballrechten bei Staufen im Breisgau. Nach dem Gymnasium in Freiburg trat der temperamentvolle und arbeitsfreudige junge Mann in Innsbruck bei den Jesuiten ein, machte das Noviziat und durchlief die langen Studien, die die Ausbildung der Jesuiten vorschreibt. 1920 wurde er zum Priester geweiht. Seine aussergewöhnliche Begabung fiel den Ordensobern auf. Sie liessen ihm freie Hand zu schriftstellerischer Tätigkeit. Als 1921 seine Biographie des zweiten Ordensgenerals, des Heiligen Franz von Borgia, erschien, war die gelehrte Welt voll des Lobes. Er erhielt den Auftrag, die Biographie eines anderen Jesuiten, des Kardinals Bellarmin, zu schreiben. An der Art und Weise, wie Bellarmin im 17. Jahrhundert von den Protestanten geredet hatte, nahm er jedoch Anstoss. Er konnte das nicht gutheissen und wollte diese Kritik äussern. Hierüber kam es zu einem Zerwürfnis mit der Ordensleitung. In einer Affekthandlung trat Karrer in ein protestantisches Predigerseminar in Nürnberg ein, bemerkte jedoch nach wenigen Wochen, dass hier sein schriftstellerisches Talent zur Propaganda gegen die Katholische Kirche benützt würde. Reumütig kehrte er zur Kirche zurück und durfte nach langer Wartezeit wieder Eucharistie feiern.

Von der Wissenschaft zur Seelsorge

In Luzern liess Karrer sich als Schriftsteller nieder. Hatte ihm im Orden eine glänzende Laufbahn als

Forscher und Lehrer offen gestanden, so musste er sich jetzt stärker auf die Vermittlung religiöser Bildung einstellen. Er tat das mit solcher Überzeugungskraft, dass er vielerorts in der Schweiz und im Ausland zu Predigten und Vorträgen eingeladen wurde. Seine 11-Uhr-Predigten in der St.-Pauls-Kirche in Luzern zogen über vierzig Jahre einen grossen Hörerkreis an. In vielen Schriften und Aufsätzen versuchte er, die Schätze der Gebets- und Frömmigkeitstradition der eigenen Kirche, aber auch anderer Bekenntnisse zu erschliessen. Seine Übersetzung des Neuen Testamentes wurde für viele Christen ein Wegbegleiter zur Erkenntnis der Heiligen Schrift. Überhaupt griff er gerne solche Fragen auf, an die andere Theologen sich nicht heranwagten: Das Christentum und die Weltreligionen, die Seele der Frau, Wunder, Gebet und Vorsehung, die Freiheit des Christenmenschen.

Sein Haus war offen für alle Ratsuchenden, denen damals der Gang zum Psychotherapeuten noch nicht so selbstverständlich wie heute war. Obwohl selber in beschränkten Verhältnissen lebend – er hatte keine anderen Einnahmen als die bescheidenen Honorare aus seiner Vortrags- und publizistischen Tätigkeit –, gelang es ihm, mit Bedürftigen zu teilen. Sein Haus am Steinhofweg in Luzern wurde zu einer Hilfsstation für deutsche und österreichische Emigranten, die vor dem Terror des Dritten Reiches flüchteten.

Mitbrüder als Neider

Doch gerade diese weitgespannte Tätigkeit und das Echo, das er bei Menschen fand, die mit Glaubensproblemen rangen, brachten Neider und Missgünstige auf den Plan. «Der Karrer macht den Glauben zu leicht», wurde zu einer Standardklage; das üble Wort vom «Kantengänger» machte in diesen Kreisen die Runde. Vor allem vergnügten sich lieblose Mitbrüder, Karrer – seit 1935 Schweizer Bürger – beim bischöflichen Ordinariat und in Rom zu denunzieren. In kirchlichen Presseorganen schossen sie sich auf ihn ein und trugen dazu bei, dass ihm, dem seinerzeit wegen seines lange zurückliegenden, überstürzten Übertritts von 1922 die kirchlichen Vollmachten zum Beichthören entzogen worden waren, sie auch in der Folge immer wieder versagt wurden. Karrer ist erst als 75jähriger in seinen priesterlichen Rechten voll rehabilitiert worden.

Mit Christus ins Kirchenfundament

Der Mann, der weder in Luzern noch in Freiburg einen Lehrauftrag an einer theologischen Fakultät erhielt, hat hierzulande noch ein anderes Verdienst um den christlichen Glauben. Er wurde nach 1950 zum Begründer der ökumenischen Kreise, die eine massgebliche Bedeutung für die Verständigung mit den Reformierten gewannen. Trotz vieler Verdächtigungen, denen er ausgesetzt war, hat er sich nicht gescheut, sich zu exponieren, ohne je die Realität der kirchlichen Trennung durch überstürzte Anbiederung zu überspielen und dadurch die Sache der Annäherung zu gefährden. Das Zweite Vatikanische Konzil war sein Konzil. Es brachte den Durchbruch der Ideen, für die er gelitten und gekämpft hatte.

Als er einmal gefragt wurde, wie er es trotz aller Anfeindungen durch Mitbrüder in der Kirche ausgehalten habe, gab er lächelnd zur Antwort: «Man muss mit Christus bereit sein, in die Fundamente der Kirche einzugehen.»

Vgl. Liselotte Höfer: Otto Karrer, Kämpfen und Leiden für eine weltoffene Kirche. Freiburg/Brg. 1985.

Die Flüchtlingsmutter

Gertrud Kurz
(1890–1972)

Endlich eine gewöhnliche Familienmutter: Glücklich verheiratet, drei Kinder, ein ordentlicher Haushalt. Als Mutter Kurz ein Begriff für Unbehauste, Asoziale, Tippelbrüder und Flüchtlinge in aller Welt. Ja eine echte Mutter, aber doch ein Sonderfall unter den Müttern! Gertrud Kurz war Appenzellerin, in Lutzenberg geboren, wo ihr Vater, Reinhard Hohl-Custer, als Fabrikant und Oberrichter tätig war. Die Erziehung im Elternhause war streng, aber gerecht. Ihr Appenzeller Humor und ihre Geduld bildeten eine unerschöpfliche Reserve für spätere Belastung. Gertrud Kurz hat keine speziellen Bewährungsproben provoziert. Sie hat sich denjenigen gestellt, mit denen das Leben sie über Nacht und unvorhergesehen konfrontierte. Ihre Augen sahen nur schärfer, und sie hörte mit dem Herzen. Das unterschied sie von vielen anderen.

Eine grosse Familie

Eine Systemveränderin war sie nicht. Ihr Mann, der Berner Gymnasiallehrer und spätere Rektor Albert Kurz, war im Militär Regimentskommandant und ihr Sohn Hans Rudolf ein hoher Beamter des Eidgenössischen Militärdepartements. Der Rahmen ihres Lebens war bürgerlich; jedoch die Intensität, mit der sie es lebte, unkonventionell. Ihr Haus an der Sandrainstrasse in Bern stand jederzeit «Brüdern von der Landstrasse» offen. Die Kinder erinnern sich, dass sie die Liebe der Mutter mit vielen andern teilen mussten. Doch seien sie dabei nie zu kurz gekommen.

Wie es dazu gekommen war? Vermutlich hat der Satz des Evangeliums «Was ihr dem geringsten meiner Brüder getan habt, das habt ihr mir getan», auf sie einen unverwüstlichen Eindruck gemacht. Später hat sie einmal gesagt:

«Die Brüder von der Landstrasse haben grossen Reichtum in mein Leben gebracht; aber niemand von den Brüdern weiss, dass in ihrer armseligen Gestalt manchesmal Christus selbst mit seiner Verheissung bei uns eingekehrt ist. Durch sie ist etwas von der

Freude, von der Hoffnung und von der Forderung seines Evangeliums in unseren Alltag gekommen.»

Flüchtlingshilfe

In den dreissiger Jahren kam zur Betreuung der Brüder von der Landstrasse – «Konsulat der Mühseligen und Beladenen» nannte man das Haus an der Sandrainstrasse – die Mitarbeit beim Internationalen Friedensdienst. Mit Kriegsbeginn übernahm sie das Hauptsekretariat. Sie wurde auch Mitglied der Eidgenössischen Flüchtlingskommission. Was ihre Arbeit vor anderen auszeichnet, ist, dass sie einerseits in direkter Tuchfühlung mit den Nöten der Menschen blieb, also nicht nur Schreibtischarbeit leistete, und anderseits aber auch ihre gesellschaftliche Stellung und ihre Beziehungen einzusetzen verstand, wo es um grundsätzliche Entscheidungen ging.

Gewiss war jede Begegnung mit einem Not- und Hilfesuchenden eine historische Stunde. Sie gab manchem Leben die rettende Wende, auch wenn kein Geschichtsbuch sie festgehalten hat. Doch ihre historische Stunde in der Schweizer Flüchtlingspolitik schlug, als sie am 3. August 1942 mit der Empfehlung des Basler Nationalrates Albert Oeri zu Bundesrat Eduard v. Steiger in seinen Ferienaufenthalt auf dem Mont Pélerin reiste. In einem dreistündigen Gespräch bestürmte sie ihn, einen Entscheid der Eidgenössischen Fremdenpolizei rückgängig zu machen, demzufolge neu einreisende Flüchtlinge an der Grenze zurückzuweisen seien. Tatsächlich gelang es ihr und ihren Verbündeten, eine Milderung dieser unmenschlichen Verfügung zu erreichen. Sie hat die Zurückstellung von Flüchtlingen an der Schweizer Grenze, «das Kapitel der sogenannten Refoulierungen als das Schmerzlichste» bezeichnet. Für die Mehrheit dieser Abgewiesenen bedeutete das den Tod.

Miteinander sprechen und suchen

Darauf angesprochen, hat sie beschwichtigend jede Anerkennung damit abgewehrt, wie stolz und dankbar sie sei, in einem Lande zu leben, in dem eine gewöhnliche Frau vom höchsten Magistraten empfangen und angehört werde. Sie blieb auch dann auf ihrem Posten, als der Krieg vorbei war und neue Wellen von Flüchtlingen die Schweiz berührten: Flüchtlinge aus dem Osten, Tschechen, Ungarn, Algerier; Menschen, die nicht unsere Hautfarbe haben, bei denen die Unterscheidung zwischen «echten» und «unechten» Flüchtlingen so schwer fällt, weil Sprache und politisch-gesellschaftlicher Kontext uns fremd sind. Bis zuletzt blieb sie wach und aktiv: Vor allem auch ungebrochen durch die Enttäuschungen, die sie erlebt hat. Wahrscheinlich haben ihr zugeschlagene Türen einer Schweizer Stube mehr zu schaffen gemacht als vereinzelter Vertrauensmissbrauch durch verängstigte Menschen, deren Leben aus allen Fugen geraten war.

Ihr letzter Brief – er ist an die Mitglieder des Kirchgemeinderates der Heiliggeistkirche Bern gerichtet, in der stark umstrittene Friedenswochen stattfanden – lautet:

«Als wir die Friedenswochen ins Leben riefen, haben wir uns nicht vorgestellt, wie viele Schwierigkeiten sie mit sich bringen würden. Ich selbst habe nicht bedacht, wie gross und scharf die Unterschiede im Denken unter Christen sind. Sollten wir nun den Versuch als hoffnungslos aufgeben? Ich glaube es nicht, sondern hoffe, dass man weiterhin miteinander sprechen und suchen wird.»

So blieb sie bis zu ihrem Ende die Mutter aller: Auch der Außenseiter und Andersdenkenden.

Vgl. Hulda Baumann: Die Flüchtlingsmutter Gertrud Kurz-Hohl. Appenzeller Zeitung Nr. 146 und Nr. 152, 26. Juni und 3. Juli 1982; H.O. Kühner: Zum Gedenken an Gertrud Kurz-Hohl. Neue Zürcher Zeitung Nr. 298, 29. Juni 1972.

Für eine solidarische Gesellschaft

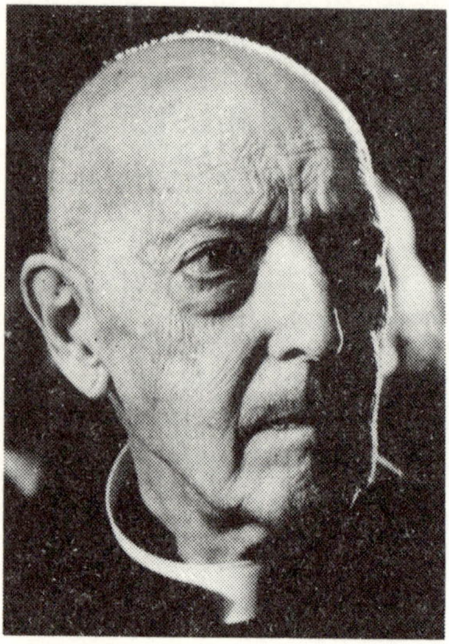

Oswald von Nell-Breuning (geb. 1890)

Seinen römischen Kollar braucht er nicht aus abgelegten Kleidungsstücken herauszuwühlen – oder einen fremden auszuborgen –, um damit im Bedarfsfall vor den Fotografen zu posieren. Oswald von Nell-Breuning ist ein senkrechter Sohn des Heiligen Ignatius von Loyola, dem modische Attitüden fremd sind. Er gehört nicht zu den Überangepassten seines Ordens: Er ist ein Mann, auf den Verlass ist. Vielleicht von daher ist ihm jener erstaunliche, an den Rändern bereits mythologisierte Kredit zugewachsen, den er in der Bundesrepublik bei Gewerkschaften, in der Wirtschaft und bei den grossen Parteien geniesst: ein Sokrates des Wirtschaftslebens, auf den alle hören, auch wenn sie seine Ratschläge nicht befolgen.

Wie Karl Marx

Oswald von Nell-Breuning, der Nestor der katholischen Soziallehre, ist Trierer wie der siebzig Jahre vor ihm geborene Karl Marx. Beide stammen aus wohlhabenden Familien mit starkem preussischem Einschlag. Ein Bruder seiner Mutter soll mit 16 Jahren jüngster preussischer Offizier im Kriege von 1870/71 gewesen sein. Der Vater war im Auftrag Kaiser Wilhelms II. 1914 bis 1918 zur friedliebenden Grossherzogin Adelheid von Luxemburg detachiert. Die Nells waren sehr vermögend. Das Geburtshaus von Pater Oswald ist die damals säkularisierte Benediktinerabtei St. Matthias in Trier. Volljährig geworden, unterzeichnete er einen Erbverzichtsvertrag und erleichterte den Rückverkauf des alten Klostergutes St. Matthias an die Benediktiner.

Nüchterne Daten

Als den Eltern 16 Jahre nach Oswald ein weiterer Sohn geboren wurde, war für den älteren die Bahn zu intellektueller Betätigung frei. Zunächst studierte er Volkswirtschaft und Sozialwissenschaft, dann in Innsbruck Theologie.

Hier trat er 1911 in die Gesellschaft Jesu ein. Er dachte, es sei besser, sich in ihrer Disziplin «schleifen zu lassen, bevor man auf die Menschen losgelassen wird». Die Ordenslaufbahn verlief gradlinig, abgesehen von den drei Jahren Zuchthausstrafe, zu der die braunen Machthaber ihn 1943 verdonnerten: 1921 Priesterweihe, 1928 Promotion mit einer Arbeit über Börsenmoral, 1928 Professor für Ethik und Moraltheologie an der Philosophisch-Theologischen Hochschule der Jesuiten in Frankfurt/Main, 1956 Honorarprofessor für philosophische Grundlagen der Wirtschaft an der Universität Frankfurt.

An den Scharnieren der Umsetzung

Daten sagen wenig aus über den Menschen und sein Werk. Auch die Vielzahl seiner Veröffentlichungen – über 1500 – sagt nichts aus, sogar dann nicht, wenn wir die Hauptwerke und ihre Themen aufzählen:

Einzelmensch und Gesellschaft, Mitbestimmung, Eigentumsbildung in Arbeiterhand, Wirtschaft und Gesellschaft, Kapitalismus und gerechter Lohn. Ein langes «und-so-weiter» wäre hier anzufügen.

Die Bedeutung Nell-Breunings liegt nicht in der großen Zahl seiner Bücher und Aufsätze, nicht in seinen prophetischen Einsichten, sondern darin, dass er an den Scharnieren der Verwirklichung ethischer Postulate aus dem christlichen Menschenbild heraus seinen Mann gestanden hat: 1931 bei der Formulierung der Sozial-Enzyklika Pius' XI. «Quadragesimo Anno» – «die habe ich geschrieben» – und nach dem Zweiten Weltkrieg bei der Ausarbeitung der

Wirtschafts- und Sozialpolitik der Bundesrepublik: Er hat die soziale Marktwirtschaft des Kanzlers Ludwig Erhard (CDU) mit entworfen, er hat am Godesberger Programm der SPD mitgewirkt, und vor allem ist er mit dem Einsatz seiner ganzen Persönlichkeit für eine deutsche Einheitsgewerkschaft, d. h. für eine Eingliederung der konfessionellen Gewerkschaften in den allgemeinen, nichtkonfessionellen Gewerkschaftsbund eingetreten.

Partei ergreifen

Das war keine Parteinahme für die Linke, sondern die Liquidierung des Gettos, das der Kulturkampf den Katholiken aufgezwungen hatte. Auf einen einfachen Nenner gebracht: Nell-Breuning hat dafür gesorgt, dass christliche Vorstellungen von einer gerechten Ordnung menschlicher Gesellschaft nicht in Papieren und Thesen vergilbten, sondern in die Wirklichkeit überführt wurden.

Damit stellte er sich in Gegensatz zu jenen Theologen, die meinten, mit dem Klopfen schöner Sprüche und dem Anmelden von Forderungen sei sozialer Gerechtigkeit bereits Genüge getan. Mit billigem Pseudo-Prophetismus hat Nell-Breuning nichts zu tun. Er hat sich nicht aus dem Streit der Parteien herausgehalten – das wäre feige gewesen –, er hat jeweils Partei ergriffen für die Sache in Klarsicht der Konsequenzen, die auf den Staat oder die Wirtschaft zukamen. Bundeskanzler Helmut Schmidt hat ihn in seiner kleinen Zelle – zehn Quadratmeter: Bücherberge, Schreibtisch mit Urgrossvater-Uhr, Bett mit Wolldecke, Waschbecken – besucht und bis in die Dunkelheit mit ihm diskutiert. Aber auch Norbert Blüm, der Arbeitsminister der CDU-Koalition, verzichtete nicht auf seinen Rat.

Keine Vereinnahmung

Geistige Unabhängigkeit – keine Vereinnahmung. Kritikfähig bis zuletzt, auch gegenüber päpstlichen Verlautbarungen im Jahre 1985 oder unausgegorenen Forderungen der Gewerkschaften und starren Positionen der Arbeitgeber. Von woher dieser beharrliche, ja preussische Mut zur Sache? Von dem täglichen Gang seit mehr als 50 Jahren zur Messfeier frühmorgens ins benachbarte Waisenhaus, im frohen Glauben an die Schöpfung aus Gottes Hand, die Erlösung durch Jesus Christus und den Auftrag des Christen im Spannungsfeld der Welt.

Sprödigkeit als Hauptcharakterzug Nell-Breunings? Der Verfasser erinnert sich keiner muntereren Tischgenossenschaft als jener mit dem 90jährigen (1981), der neulich, als ein besorgter Nachbar dem von einem Platzregen Überraschten einen Regenschirm verabreichen wollte (es prasselte reichlich auf die Glatze), dankend ablehnte: «Den hab ich schon im Ersten Weltkrieg abgeschafft.»

Vgl. Helmut Herles: Die allmähliche Versöhnung der Gegensätze. Sozialpolitik und Christentum: Oswald von Nell-Breuning. Frankfurter Allgemeine Zeitung Nr. 162, 14. Juli 1984; Walter Schöpsdau: Oswald von Nell-Breuning und die katholische Soziallehre. Materialdienst des Konfessionskundlichen Instituts Nr. 2/1985.

Das andere Preussen

Elisabeth von Thadden-Trieglaff (1890-1944)

Ihr Name klingt preussisch. In der Tat, die Thaddens gehören zu jenen ost-elbischen Junkerfamilien, über die hierzulande und andernorts gerne starre Klischees, zu deutsch, grobe Vorurteile bestehen. Elisabeth von Thadden passt jedenfalls nicht in ein solches Klischee. Sie repräsentiert das «andere Preussen», in dem Pflichtbewusstsein, protestantisches Glaubensethos und persönliche Tapferkeit eine Legierung eigener Art bilden. Bei den Thadden-Trieglaffs kommt noch ein starkes pietistisches Erbe hinzu. Über die zeitweilige Enge dieses Pietismus ist Elisabeth vor ihrem gewaltsamen Tod durch ihre Beziehungen zur Una-Sancta-(Eine-Heilige-Kirche)-Bewegung ihres Vetters Friedrich Siegmund-Schultze hinausgewachsen.

Eine Jugend in Pommern

Der Vater war Landrat und Gutsbesitzer in Trieglaff (Pommern), mit einem weitverzweigten Bekannten- und Verwandtenkreis. Von mütterlicher Seite her war ihr der Umgang mit fremden Sprachen und Kulturen vertraut. Als die Mutter starb, sprang Elisabeth ein: Sie sorgte für die jüngeren Geschwister und für den Haushalt. Sie entging der Lebensleere mancher Altersgenossen, die die Zeit mit dem Abstauben reichlich vorhandenen Nippes verbrachten und auf eine Heirat warteten. Doch auf die Dauer konnte dieser ost-elbische Gutshaushalt dem Selbständigkeitsdrang dieser jungen Frau nicht genügen. Einblick in die sozialen Probleme verschafften ihr die alljährlichen Begegnungstage im väterlichen Schloss, bei denen sich – eine Seltenheit für diese Zeit – konservative Hinterpommern mit Berliner Sozialdemokraten trafen.

Neue Aufgaben

Nach der Wiederverheiratung ihres Vaters verlässt Elisabeth das elterliche Haus. Sie hat kein festes Konzept, muss ihren Lebensweg erst suchen. Zunächst findet sie eine Beschäftigung an der sozialen Frauenschule von Alice Salomon in Berlin, wird Wirtschaftsleiterin in einem Kinderdorf und ist 1924 bis 1926 Internatsleiterin auf Schloss Salem am Bodensee. 1926 gelingt es ihr, das zu verwirklichen, wovon sie bisher geträumt hatte: eine Schule mit Internat auf der Grundlage einer lebendigen evangelischen Tradition zu gründen. Koedukation, wie sie in Salem bestanden hatte, lehnte sie als treue Schülerin des Pädagogen Friedrich Wilhelm Foerster ab. Innerhalb eines Jahrzehnts baut sie unter grossen, auch wirtschaftlichen Schwierigkeiten Schloss Wieblingen bei Heidelberg zu einer exklusiven Schule für Mädchen aus.

Beschattet - bespitzelt

Nach Möglichkeit sucht sie die ihr Anvertrauten vor der Infizierung durch nationalsozialistische Ideen zu schützen. Die Judenpolitik macht sie bereits in den Anfängen zu einer Gegnerin des Regimes. 1939 siedelt sie mit ihren Mädchen über in das durch Luftangriffe weniger gefährdete Bayern, nach Tutzing am Starnbergersee. Bereits in Heidelberg war sie beschattet worden; in Tutzing wird sie bespitzelt. Da ist ein blondes Kind, die Tochter einer fanatischen NS-Anhängerin, das bei ihrem Unterricht alles mitschreibt. 1941 heisst es: «Die Thadden muss gehen.» Sie sei «untragbar». Als Rotkreuzhelferin bei der Wehrmacht findet sie zeitweilig eine Beschäftigung.

Der Unmenschlichkeit ins Netz

Eine Teestunde in Berlin 1943, zu der sie oppositionelle Freunde eingeladen hat, wird ihr zum Verhängnis. Mit von der Partie ist ein junger, charmanter Mediziner, Dr. Reck, der aus den Ferien in der Schweiz kommt und ihr schriftliche Grüsse ihrer Freundin Bianca Segantini, der Tochter des Malers, übergibt. Sie weiss nicht, dass er ein Spitzel der Gestapo ist, der sie und ihren Freundeskreis gegen Judas-Sold denunziert. Als dann offenbar wird, dass jemand aus jener Teerunde sie verraten hat, lebt sie viele Wochen mit der bangen Sorge, das Leben der Freunde durch Unvorsichtigkeit gefährdet zu haben. Schliesslich schlägt die Gestapo zu. Die herrscherliche Frau wird in Meaux bei Paris verhaftet. Sie weiss, was das bedeutet, weist jedoch den Gedanken an eine Flucht von sich, aus Angst vor Repressalien gegenüber Familienangehörigen.

Stationen eines Kreuzwegs

Nun beginnt für sie die schaurige Abfolge von Vernehmungen, Gefängnissen, Konzentrationslagern und zuletzt der Prozess vor dem Volksgerichtshof mit seinem berüchtigten Präsidenten Roland Freisler. Spott und Hohn giesst er über Adel und Kirche aus und spricht über die Nichtangepasste das Todesurteil aus. Begründung: Sie habe die Ansicht vertreten, der Krieg sei für Deutschland verloren, wenn nicht ein Wunder geschehe! In den Wochen vor ihrer Hinrichtung mit Fesseln als Armreifen liest Elisabeth eifrig im Neuen Testament und lernt die Bergpredigt auswendig. Gestärkt mit dem Abendmahl geht sie am 8. September 1944 «festen Schrittes, ohne zu zittern» auf den Scharfrichter zu. In ihrer letzten Botschaft an Hans

Hasso von Veltheim, der sie die letzten Monate mit seinen Briefen immer wieder aufgemuntert hatte, heisst es:

«Ich gehe aus der räumlich zeitlichen Welt zu dem Vater, dessen Kind und Erbe ich bin! In die Heimat der Liebe! . . . Gott gebe Dir Kraft mit der Leuchtkraft des Offenbarungslichtes, all den Deinen Kraft und Liebe zu geben, bis für Dich das Stündlein schlägt. Deine Elisabeth.»

Vgl. I. van der Luhe: Elisabeth von Thadden. Ein Schicksal unserer Zeit. Düsseldorf 1966.

Ein politischer Theologe

Charles Journet
(1891–1975)

Einen Lehrstuhl hatte er nicht. Er war nur ein kleiner Seminarprofessor in Freiburg, von dem die Theologische Fakultät am Ort bis zum II. Vaticanum kaum Notiz nahm. Und doch war seine geistige Ausstrahlung zeitweilig grösser als die der etablierten akademischen Theologie. Diese legte an ihn die Massstäbe des orthodoxen Thomismus an und befand ihn, den sogenannten Neo- oder Neu-Thomisten, für zu leichtgewichtig. Schulstreitigkeiten der Theologen, die eigentlich keine römischen Zensoren brauchen, weil sie lautstark genug einander die Glaubwürdigkeit absprechen?

Warner zur rechten Zeit

Charles Journet hat zahlreiche gewichtige Bücher geschrieben. Nicht seine theologische Position interessiert uns hier, sondern der Mut und die Tapferkeit, mit der er sich in den Jahren totalitaristischer Bedrohung dem Ungeist auf der einen und der feigen Trägheit auf der anderen Seite entgegenstellte. Zwar hatte er den Nationalsozialismus nicht aus unmittelbarer Nähe kennengelernt wie Karl Barth. Wie jener scheute er sich jedoch nicht, ein unermüdlicher Mahner zu sein, vor einer allzu passiven Neutralität zu warnen, die sich durch Schweigen schuldig machte. Soweit man sehen kann, war er der einzige katholische Theologe der Schweiz, der in jenen Jahren den Mut hatte, sich mannhaft zu exponieren: Gegen Franco-Spanien, zu einer Zeit, als das katholische Milieu dem spanischen Diktator allzu vorbehaltlos zustimmte, gegen die Gewaltverbrechen vor allem der Nationalsozialisten, als andere ängstlich schwiegen, gegen die Hysterie jener, die die Kritiker schweizerischer Selbstgenügsamkeit als Bolschewisten bezeichneten.

Der Lebenslauf

Charles Journet wurde am 26. Januar 1891 in Meyrin bei Genf geboren, in einer Familie bescheidener Geschäftsleute. Er begann eine Banklehre, brach sie jedoch ab, um am Kollegium Schwyz Gymnasialstudien zu beginnen, die er am Kollegium St. Michael in Freiburg fortsetzte. 1913 trat er ins Priesterseminar ein und wurde 1917 zum Priester geweiht. 1917 bis 1924 war er Vikar in St. Peter in Freiburg, dann in Ste-Croix in Carouge und in Sacré Coeur in Genf. 1924 bis 1970 unterrichtete er Dogmatik am Priesterseminar in Freiburg. Die bestimmende Begegnung seines Lebens war die Freundschaft mit dem französischen Philosophen Jacques Maritain. Maritain wollte auf der Grundlage einer erneuerten thomistischen Philosophie deren Bedeutung für die moderne Welt aufzeigen. Für ihn war die Würde des Menschen absolut, weil er von Gott erschaffen ist.

Mut zum Zeugnis

1926 gründete Journet die Zeitschrift «Nova et Vetera» (Neues und Altes), die in der romanischen Schweiz eine grosse Bedeutung erlangte als Zeitschrift, die Religion, Literatur und Kunst in Verbindung brachte. Besonders auf junge Intellektuelle übte Journet einen grossen Einfluss aus. Man hat ihm zum Vorwurf gemacht, dass er eine Reihe junger Protestanten zum Übertritt zur katholischen Kirche bewog, und ihn einen «convertisseur» genannt. Dabei wurde übersehen, dass es weniger sein Antiprotestantismus als vielmehr sein «integraler Humanismus» war, der junge Menschen anzog. Dieser kam in der vorhin genannten Zeitschrift in Verbindung mit seiner polemischen Ader – auch hierin Karl Barth geistesverwandt – in beispielloser Weise zum Ausdruck. In nahezu jeder

Nummer seit 1935 hat er, in scharfer Frontstellung zu den Totalitarismen der Zeit, christliche Grundhaltungen kommentiert: Das Wesen des totalitären Staates, die Staatslehre des Heiligen Thomas von Aquin, das Recht auf Ungehorsam gegenüber einem ungerechten Befehl, den Primat des Gewissens, den Rassismus, die Judenpolitik, die Gefährlichkeit der Vergeltungsmassnahmen, den Antisemitismus, die Polenausrottung. Mit seiner kristallklaren Sprache, die die Verbrechen beim Namen nannte, fand er nicht überall Anklang. Viermal geriet er in Schwierigkeiten mit der schweizerischen Zensur, die den Abdruck seiner Stellungnahmen verbot. Es gibt einen Brief von ihm an die Zensurbehörden (1943), in dem er sich mit bewundernswerter Entschiedenheit gegen Streichungen verwahrte, die man ihm zumutete: Die Ausmerzung des jüdischen Volkes und die Versklavung der Polen sowie der Verfall des totalitären Staates seien unanfechtbare Tatsachen.

Er schwieg nicht

Journets Mut kontrastiert aufs schärfste mit der zaghaften Zurückhaltung etablierter katholisch-theologischer Kreise der Innerschweiz. Seine Aufsätze wurden nach dem Krieg in einem Band gesammelt; im deutschen Sprachraum, auch in der Schweiz, hat man von ihnen jedoch keine Kenntnis genommen. Den Ehrendoktor der Universität Freiburg, der 1945 fällig gewesen wäre, erhielt er erst 1961. Vier Jahre später wurde Charles Journet zur grossen Überraschung zum Kardinal ernannt. Doch damals war er bereits in die konservative Ecke abgeschoben. Wie diese Etiketten auch heissen mögen, mit denen die Christen sich gegenseitig schmücken: Charles Journet besass Zivilcourage zu einer Zeit, als viele katholische Honoratioren auch in der Schweiz Klugheit mit Hasenherzigkeit verwechselten.

Vgl. Pierre-Marie Emonet: Le Cardinal Charles Journet – portrait intérieur. Chambray-les-Tours 1983.

Heilige ohne Grab

Edith Stein
(1891–1942)

Bis ein Mensch seine Berufung und den inneren Frieden findet: Wie viele verschlungene Wege gilt es da zurückzulegen! Letzte Sicherheit ist nicht auf dieser Welt, ausser bei Gott. Das hat die aus jüdischem Hause stammende Philosophin Edith Stein erfahren, deren Lebensweg sie über viele Stationen – Universität, Dozentur, Schriftstellerei, Kloster – schliesslich in die Anonymität der Gaskammern von Auschwitz führte.

Die Philosophin

«Wer die Wahrheit sucht, der sieht Gott, ob es ihm klar ist oder nicht», so schrieb die Unbeschuhte Karmelitin Teresia Benedicta a Cruce – Edith Stein – im Jahre 1938. Sie konnte es wissen, da sie sich Ihm nach langem Ringen ergeben hatte. Edith Stein war das elfte und jüngste Kind eines jüdischen Holzhändlers aus Breslau. Der Umsicht der früh verwitweten Mutter war es zu verdanken, dass die Familie in Wohlstand lebte und die Töchter studieren konnten.

Ediths Berufspläne wandelten sich von einem zunächst ins Auge gefassten Brotstudium – Studienrätin – zu einem mit Leidenschaft betriebenen Philosophiestudium. Mit einer Untersuchung über das Problem der «Einfühlung» promovierte sie bei ihrem verehrten Lehrer Edmund Husserl in Göttingen. Ihre ungewöhnliche philosophische Begabung wurde überall anerkannt. Doch der Plan, an der Universität vollends Fuss zu fassen und die Habilitation (Lehrbefugnis) anzustreben, scheiterte am allgemeinen Vorurteil, dass Frauen sich nicht für das akademische Lehramt eigneten. Depressionen blieben ihr nicht erspart. Geistig war sie trotz ihrer anerkannten und gerühmten philosophischen Fähigkeiten wurzellos geworden. Die lebendige Beziehung zum jüdischen Glauben, an dessen festgeprägten Vorschriften das Elternhaus festhielt, war ihr schon auf dem Gymnasium abhanden gekommen. Bis zu ihrem einundzwanzigsten Lebensjahr bezeichnet sie sich als Atheistin. Doch dann verfiel sie wieder der Unrast der Glaubenssuche.

Im Sommer 1921 besuchte sie ihre Freundin Dr. Hedwig Conrad-Martius, die eben ihren Weg in die evangelische Kirche gefunden hatte. Dort fiel ihr die Autobiographie der Teresa von Avila, der Reformatorin des Ordens der Karmeliten, in die Hände. Sie las sie in einem Zuge durch und war überwältigt: «Das ist die Wahrheit.» Am 1. Januar 1922 empfing sie die Taufe und nahm den Namen Teresia an.

Neue Heimat im Karmel

Ein zweiter Versuch, im akademischen Leben Fuss zu fassen und sich in Breslau zu habilitieren, scheiterte am aufkommenden Antisemitismus, der sich auch gegen die Juden richtete, die zum Christentum übergetreten waren. Im gleichen Jahr, als Hitler in Deutschland an die Macht trat, entschloss Edith sich, in Köln in den Karmel, einen streng meditativen Orden, einzutreten. Fast sieben Stunden am Tag waren dem Gebet und der Anbetung gewidmet. Dieser Schritt erregte Aufsehen. Bei der Familie gab es Missverständnisse. Die Angehörigen meinten, Edith würde sich angesichts der antisemitischen Ausschreitungen von ihrem Volk distanzieren. Jahrelang antwortete die Mutter nicht auf ihre Briefe. Einem Bekannten, der sich sorgte, wie sie als Intellektuelle das Einleben in die neuen Verhältnisse fast völliger Weltabgeschiedenheit bestehen würde, antwortete sie: «Über die Frage, wie ich mich an die Einsamkeit gewöhnt hätte, musste ich ein wenig lächeln. Ich bin die meiste Zeit meines Lebens viel einsamer gewesen als hier. Ich vermisse nichts, was draussen ist, und habe alles, was ich draussen vermisste, so dass ich nur immer für die ganz unverdiente, übergrosse Gnade der Berufung danken muss.»

Zugriff der Dämonen

Die Verbindung mit dem jüdischen Volk blieb ihr erhalten, ja wurde zur Echtheitsprobe ihrer «Kreuzeswissenschaft», der sie in Büchern so tiefe Gedanken widmete. Als sich die Judenverfolgungen in Deutschland zuspitzten, siedelte sie Ende 1938 in den Karmel nach Echt in Holland über. Hier klopften die Häscher am 2. August 1942 an, um sie und ihre Schwester Rosa, die ihr in den Karmel nachgefolgt war, zu verhaften.

Auf dem Transport nach Auschwitz verlieren sich die Spuren der beiden Schwestern. Mit vielen andern wurden sie wenige Stunden nach ihrer Ankunft vergast.

Ein schweizerischer Epilog

Wer aus der Schweiz über Edith Stein schreibt, darf nicht verschweigen, dass die Schweiz am Tod dieser grossen Frau und wahren Gottesgelehrten schuldig wurde. Ihre Bekannte, die Juristin Hilde Vérène Borsinger, bemühte sich, die beiden Schwestern Stein im Karmel von Le Pâquier (FR) unterzubringen. Als nach unsäglichen Schwierigkeiten die Anträge in Bern vorlagen, lehnte die Eidgenössische Fremdenpolizei einen Tag nach der Verhaftung von Edith das Gesuch ab.

Vgl. Cornelia Koepke: Edith Stein (1891–1942). Philosophin und Ordensfrau. Freiburg/Schweiz und Hamburg 1985.

Sie wagte den Frieden

Dorothy Day
(1897–1980)

Kein ordentliches Leben

Es war kein ordentliches Leben, das sie führte: Dorothy Day, die über viele Umwege zur Kirche fand und als grosse alte Dame in die Geschichte des amerikanischen Katholizismus einging. Die erste Hälfte ihres Lebens war ausgesprochen unordentlich. Dorothy, die Tochter eines New Yorker Sportjournalisten, war so ziemlich alles, was ein Mädchen aus gutem Hause nicht hätte sein dürfen: vergammelte Studentin, Journalistin, praktizierende Propagandistin der «freien Liebe», sozialistisch-kommunistische Agitatorin für radikale Weltveränderung und gerne gelittenes Mitglied der New Yorker Künstlerbohème. Auf eine überstürzte Heirat folgte die Scheidung, dann eine Liaison mit einem Aussteiger der Nach-dem-Ersten-Weltkrieg-Generation.

Die Idylle mit dem Häuschen am Meer – während er fischte, schrieb sie oder sammelte am Strand angeschwemmtes Holz – währte nicht lange. Als Dorothy – inzwischen von der Tochter Tamar entbunden – religiöse Mucken bekam und über die Ziellosigkeit ihres Lebens nachdachte, liess der junge Beau sie mit dem Kinde allein.

Was trug zur Wiederfindung des Glaubens bei? Keine Sündenkomplexe, keine raffinierten theologischen Erörterungen und kein gesellschaftliches Reformprogramm. «Die Glorie der Schöpfung, die zarte Schönheit von Blumen und Muscheln, der Gesang der Vögel, das Lächeln meines Babys, all das hat mich so jubilieren lassen, dass ich nicht anders konnte, als laut in den Lobpreis Gottes einzustimmen.» Zur Kirche stiess Dorothy buchstäblich von aussen nach innen. Das Grossstadtkind entdeckte die katholischen Kirchen, weil sie Geborgenheit und Wärme schenkten, ohne dass man Eintritt zu zahlen brauchte; drinnen war es wärmer als draussen. So kam sie zur Kirche und liess sich in sie aufnehmen.

Glaube als Lebensfundament

Auch die zweite Hälfte des Lebens war keineswegs ordentlich, gemessen an bürgerlichen Kategorien. Gewiss gaben tägliche Messe, regelmässiger Empfang der Eucharistie, Beichte und religiöse Lektüre ihrem Leben nunmehr einen festen äusseren Rahmen. Aber in ein festes Schema des Wohlverhaltens liess sie sich nicht hineinpressen. Den idealistischen Eifer und die Hingabebereitschaft, die sie bei ihren glaubenslosen Freunden kennengelernt hatte, wollte sie nun in jener Gemeinschaft fruchtbar werden lassen, die sie zur Begegnung mit Jesus Christus geführt hatte.

Vieles war utopisch an dem gesellschaftlichen Reformprogramm, das sie im Monatsblatt «Catholic Worker» (seit 1933) entwarf; doch war das Blatt ein Stachel im Leben einer selbstgenügsamen amerikanischen Kirche. Zwei von Dorothy mitbegründete Initiativen haben Bestand gehabt: die Häuser der Freundschaft, welche Suppenküchen für Obdachlose mit Diskussionsclubs verbanden, und vor allem der konsequente Pazifismus.

Gewaltlosigkeit

Keineswegs wollte Dorothy allen Christen die radikalen Forderungen der Bergpredigt zumuten. Doch sie und ihre Freunde verschrieben sich dem Beispiel der Gewaltlosigkeit. Sie trat für die Kriegsdienstverweigerer ein, im Zweiten Weltkrieg und vor allem im Vietnamkrieg. Ohne ihre Vorläuferschaft wäre das Schreiben, das die Bischöfe zu Fragen der Abrüstung und Friedenspolitik im Frühjahr 1983 erliessen, nicht denkbar.

Auf dem Fundament eines Glaubens, der allen Widerständen und Feindseligkeiten zum Trotz unerschütterlich blieb, konnte sie vieles wagen, wozu anderen der Mut fehlte. Sie hat einmal gesagt: «Wenn es um soziale und gesellschaftliche Fragen geht, so werdet ihr mich links finden, soweit als möglich, geht es um Fragen des Glaubens, so findet ihr mich rechts. Ich bin eine Traditionalistin in dem Sinne, dass ich es nicht gerne sehe, wenn jemand für die Eucharistiefeier eine Kaffeetasse als Kelch benützt... Mein Glaube beruht auf einem Credo: 'Ich glaube an Gott, den Allmächtigen Vater, Schöpfer des Himmels und der Erde, aller sichtbaren und unsichtbaren Dinge und an seinen eingeborenen Sohn, unsern Herrn Jesus Christus.'» Was Dorothy gegeben war, Kirche der Armen konkret zu leben, empfand sie als Geschenk von Gottes Gnade. Deshalb wünschte sie als Grabschrift nur das: «Deo gratias – Gott sei Dank.»

Vgl. Dorothy Day: The long loneliness. An autobiography. New York 1952; William D. Miller: Dorothy Day. A biography. New York 1982.

Treue als Antwort auf Undank

Giuseppe Crivelli
(1900–1975)

Vorwände, aus der Kirche auszutreten oder sich ins Abseits zu begeben, finden sich genug. Von jemandem, der verständlicherweise mit dieser Versuchung hätte kämpfen können, doch nicht einmal den Gedanken daran aufkommen liess, soll hier die Rede sein: Von Giuseppe Crivelli, dem Baumeister der Schweizerischen Caritas in der Zeit des Zweiten Weltkrieges.

Grundlage: Ein solides Handwerk

Giuseppe war der Sohn einer Tessiner Familie, mit der er als Siebenjähriger nach Grenchen übersiedelte. Er war dazu bestimmt, einmal das solide Bauunternehmen zu übernehmen, das sein Vater begründet hatte. Deshalb machte er nach der Bezirksschule eine Maurerlehre und besuchte die Bauabteilung des Technikums Biel. Nach verschiedenen Aufträgen erhielt er auch eine Bauführung in Winterthur. Hier kam der Kolping-Sohn Crivelli ins Gespräch mit dem aufgeschlossenen Pfarrer Mächler. Dessen seelsorglicher Eifer brachte ihn auf andere Berufsgedanken. Völlig überraschend für Eltern und Freunde entschloss er sich, Priester zu werden.

Spätberufen

Crivelli war 23 Jahre alt, genauso wie Adolf Kolping, der seinerzeit den Schusterleisten beiseite gelegt und sich seinen Weg zum Priestertum erkämpft hatte. Das hiess: Als Erwachsener in Engelberg mit jungen Burschen die Schulbank drücken bis zur Matura, Griechisch und Latein büffeln. Ein eiserner Fleiss liess ihn das Zwischenziel erreichen. Dann folgten die Jahre des Theologiestudiums in Freiburg im Uechtland, Luzern und Freiburg im Breisgau.

Am 8. Juli 1934 weihte Bischof Ambühl ihn zum Priester. Crivelli war nicht der Typ des braven Jungen, der vom Gymnasium problemlos zur Theologie hinübergegängelt worden war. Er war jemand, der im Leben in einem wichtigen Beruf seinen Mann gestanden hatte. Nicht aus Müdigkeit oder Lebensunfähigkeit war er ausgestiegen. Ganz im Gegenteil: Er konnte zupacken, dirigieren, sprühte von Ideen und war impulsiv, wie das bei initiativen Menschen der Fall ist. Das spürte die Pfarrei St. Karl in Luzern, in der er seine ersten Jahre als Vikar verbrachte. Man spürte aber auch, dass er das Zeug für eine grössere organisatorische Verantwortung hatte.

Ein Leben für die Caritas

Bereits 1936 konnte er sich in die verschiedenen Arbeitsgebiete der Schweizerischen Caritaszentrale in Luzern – damals ein Zweimannbetrieb – einarbeiten. 1939 schickte ihn der Bischof nach Freiburg im Breisgau, damit er sich dort durch ein Spezialstudium für die Übernahme der Leitung der Caritas vorbereite. Mitten aus den Vorarbeiten zu einer Dissertation rief ihn der Bescheid des Bischöflichen Ordinariates zurück in die Schweiz.

1941 übernahm er die Leitung der Schweizerischen Caritaszentrale. Er war der rechte Mann am rechten Ort. Unverbraucht, draufgängerisch, Situation und Weltlage intuitiv erfassend, baute er in kürzester Zeit die Schweizerische Caritas aus provinziellen Anfängen zu einem Hilfswerk aus, das sich mit anderen Einrichtungen dieser Art messen konnte. Er selbst war pausenlos unterwegs, um Hilfsquellen zu erschliessen, predigte Sonntag um Sonntag, stellte Prioritäten der Hilfeleistung auf. Bereits plante er für die Nachkriegszeit, liess eine grossangelegte Paket-Aktion anlaufen und konnte, dank klugem taktischem Vorgehen, als erste Hilfsorganisation von der Schweiz aus im süddeutschen, vor allem im Freiburger Raum Hilfe bringen. Die Zahl der Mitarbeiter und Helfer wuchs von fünf bei seiner Amtsübernahme auf über hundert im Jahre 1947!

Die Nachkriegszeit mit ihren ungeheuren Menschenverschiebungen erheischte neue Lösungen. Crivelli setzte sich für die Ansiedlung von 3000 volksdeutschen Flüchtlingen ein. Immer wieder forderte er eine stärkere Zusammenarbeit der katholischen Hilfswerke und versuchte, Pius XII. für die Gründung einer eigenen Kongregation für christliche Diakonie zu gewinnen.

Das Herz zum Pfand gesetzt

Hat Crivelli zu gross geplant? Gemessen am menschlichen Elend nicht, wohl aber am Mass menschlicher Begrenztheit. Selber anspruchslos, rieb er sich auf in der Beschaffung der Gelder und Mittel für die Hilfsaktionen, für die Bezahlung der Arbeiter seines ungeheuer angewachsenen Stabes. Er schenkte Leuten Vertrauen, die ihn ausnützten, sein Vertrauen missbrauchten, ihn schädigten. So reifte die Zeit der Neider. Sie grollten ihm schon lange wegen seiner Leistung, wegen der zahlreichen Ehrungen, die ihm zugefallen waren, wegen seiner unklerikalen Schneidigkeit. Der Vorwurf leichtfertigen Umgangs mit Geld war rasch bei der Hand. Ihn nutzte eine katholische Mafia aus, um ihn aus dem Amt zu sprengen. 1951 war es soweit. Crivelli musste gehen, wurde abgesetzt.

Was tat der Entlassene? Er bemühte keine Presse – seine Freunde, die Pfarrer Blum und Dr. Metzger aus Basel, Rechtsanwalt Dr. Walter Hofer aus Luzern, Oberrichter Dr. Bütler aus Zug, wollten das tun; die katholische Presse verhielt sich servil.

Crivelli lohnte Undank mit Treue. Er übernahm die Leitung des Kinderheims Bachtelen (Grenchen) und wirkte hier mit Ingenbohler Schwestern noch nahezu 15 Jahre. Mitunter griff er aufs Polierhandwerk zurück und legte Hand an beim Umbau des Hauses. Auch lieh er dem Grenchener Arbeitskreis seine Unterstützung, um neue Methoden zur Gestaltung des Religionsunterrichtes zu entwickeln.

Zwar war die Wunde nie ganz verheilt: Crivelli hat darin nicht gewühlt, um sich und anderen das Leben schwerzumachen. Am 17. November 1975 gab er sein strapaziertes Herz in die Hand seines Schöpfers zurück. Über seinem Grabe könnte auch der Spruch Papst Gregors VIII. stehen: «Dilexit Ecclesiam.» Er liebte die Kirche, weil sie grösser ist als die Begrenztheit der Menschen, die in ihr ihr (Un)wesen treiben.

Vgl. Victor Conzemius: Idee und Geschichte der schweizerischen Caritas. Sonderdruck des «Vaterland» vom 11. und 18. Dezember 1976.

Noch Platz im Boot

Paul Vogt
(1900–1984)

Jubiläumsfeiern vermitteln nicht immer Impulse der Besinnung auf das zu feiernde Erbe. Oft sind es Routineanlässe, bei denen eine spätere Generation sich selber feiert. Doch nicht so der Reformationssonntag 1941, als am Grossmünster in Zürich ein Denkmal für den Nachfolger Zwinglis, Heinrich Bullinger, eingeweiht wird. Der Prediger erinnert an die Zehntausenden von Flüchtlingen, die als sogenannte Hugenotten im 16. und 17. Jahrhundert aus Frankreich vertrieben worden waren und – dank der liberalen Flüchtlingspolitik Zürichs – gerettet werden konnten.

Handeln, nicht Bedauern

Unter den Zuhörern befindet sich auch Paul Vogt, der Pfarrer von Zürich-Seebach. Parallelen zur Situation von 1941 steigen in ihm auf. Dass im Lande Luthers und im Ursprungsland der Reformation systematischer Völkermord betrieben wird, erschüttert ihn. Auch gellt ihm der Schrei im Ohr, der 1933 im sogenannten Frontenfrühling in den Strassen der Stadt Zürich erscholl: «Juda verrecke!» Sollte Zürich, sollte die reformierte Schweiz sich abweisender verhalten als eine frühere Generation, sollte die Eidgenossenschaft Tausende von Menschen, die Einlass begehrten, zurückweisen und sie dem sicheren Tod in den Gaskammern ausliefern? Paul Vogt realisiert, dass es nicht genügt, mit den Schultern zu zucken und Bedauern auszusprechen. Es muss gehandelt werden. Er, der schon viel für die Flüchtlinge getan hat, will sich nun ganz dieser Aufgabe widmen.

Kein Platz im Boot?

Im August 1942 regt er eine Freiplatz-Aktion für Flüchtlinge an. Auf die Frage eines Regierungsrates, wieviele Flüchtlinge die Kirche bereit sei, neu aufzunehmen, antwortete er kühn: 300. In kurzer Zeit gehen nicht 300, sondern 400 Anmeldungen ein. Sie können leider nicht voll ausgenützt werden, weil die Kantone entweder hohe Kautionen verlangen oder die Aufnahme rundweg verweigern. 1943 wird er hauptamtlicher Flüchtlingspfarrer der Reformierten Kirche der Schweiz. Die Wasserkirche in Zürich, in der zwischen 1938 und 1947 monatlich ein Fürbitte-Gottesdienst für die Flüchtlinge in der Schweiz und in der Welt abgehalten wird, ist seine Pfarrei. In Predigten, Artikeln und Vorträgen weckt er die Gewissen und rüttelt die Herzen wach, ungeachtet des Widerstandes, den die «Vaterländische Aktion» ihm entgegensetzt, ungeachtet der anonymen Briefe, die ihn aus angeblich kirchentreuen Kreisen erreichen. Direkt und indirekt hat Paul Vogt dazu beigetragen, dass Hunderte von Menschen, insbesondere jüdische Flüchtlinge, vor den Vernichtungslagern gerettet wurden. In einem bewegenden Fürbitte-Gottesdienst für die ungarischen Juden in der Zürcher Wasserkirche 1944 erklärt er: «Sie tragen das gelbe Abzeichen (den Judenstern), wir jedoch das Kainszeichen, und darum sind auch wir mit seinem Fluch belastet. Nicht Israel, sondern wir kreuzigen unsere heiligen Ideen dadurch, dass wir unsere Gesetze missachten und die Appelle der Menschlichkeit und der Brüderlichkeit vollkommen negieren.»

Schwache Gesundheit und seelische Stärke

Paul Vogt ist am 12. März 1984 in Zizers gestorben. Der Sohn eines Evangelisten der Basler Chrischona-Gemeinde war in Wetzikon und Männedorf aufgewachsen. Er wollte eigentlich Lehrer werden. Doch da er herzkrank war, riet der Arzt ab. Er durfte nie Sport treiben, keinen Turnunterricht besuchen, ja nicht einmal an den Schulausflügen teilnehmen. Vielleicht wurden hier die Anfänge des künftigen Flüchtlingspfarrers gelegt. Vogt sagt von sich: «Meine Jugend war kein problemloses Erleben. Dadurch aber habe ich wohl gelernt, schwache Menschen besser zu verstehen.»

Vgl. Alfred Berchtold: Paul Vogt (1900–1984), pasteur des réfugiés. In: Les cahiers protestants. Oktober 1984, S. 5–12.

Im Feuer Gottes

Alfons Rosenberg
(1902–1985)

Wandlungen eines Lebens

Alfons Rosenberg hat die ungezählten Brüche und Diskontinuitäten dieses Jahrhunderts bis in seine persönliche Existenz hinein erlebt: Den Zusammenbruch des deutschen Kaiser- und des bayerischen Königreiches, des Schuhimperiums seines Vaters, der Räterepublik, der Weimarer Republik, des Tausendjährigen Reiches, der Kunsttrends und Modephilosophien. Am stärksten haben ihn die inneren Erschütterungen und

Einsichten getroffen: Die Erkenntnis vor der Barmizwa-Feier*, dass er seiner geistigen und seelischen Ausrichtung nach nicht dem Judentum angehöre, die Richtungslosigkeit der Jugend- und frühen Mannesjahre, die Entdeckung des Evangeliums und das Sich-hinein-Tasten in den Raum der Kirche.

Unrast und Suche

Alfons Rosenberg wurde in München, der damals königlich-bayerischen Residenzstadt, geboren, deren leuchtend ockertönige Fassaden, barocke Kirchen und klassizistische Palais niemand vergessen kann, der dort einmal lebte. Der Tod des Vaters im Ersten Weltkrieg befreite ihn von der qualvollen Aussicht, in dessen Fussstapfen als Leiter eines über Deutschland verbreiteten Schuhimperiums treten zu müssen. Zwischen Kunstakademie und Kunstgewerbeschule entschied er sich für letztere, schloss sich zunächst in der Nachfolge von Franz Marc dem Expressionismus, später Hodler und Paul Klee an. Die sich überschlagenden politischen Ereignisse der «rasenden» 20er Jahre bewegten ihn sehr; er war zufällig Zeuge der Ermordung des bayerischen Ministerpräsidenten Kurt Eisner.

Der wahnbefangene Träumer, als den er sich selber bezeichnete, träumte von Umsturz. Malerei, Tanz und Kunsthandwerk waren die Ausdrucksformen, die ihm am meisten zusagten. 1925 zog er sich mit einer befreundeten Familie auf die Insel Wörth im Wörthsee zurück, lernte neu als Bauer und Handwerker den Umgang mit der Natur und begann, in sich hineinzuhorchen. Im Licht einer Kerze fing er eines Abends an, das Evangelium zu lesen, rein zufällig, weil der Freund in die Stadt gefahren war: Unfassbar war diese Lektüre und doch so vertraut.

Ihm schlug «aus den Evangelien beim ersten Lesen eine ungeheure Feuerflamme entgegen: Ohne menschliche Umrisse, Urgestalt vor jedem Namen, Einheit vor aller Teilung. Diese Erfahrung Jesu als ein niederzuckendes auf Erden brennendes Feuer blieb mir seitdem Massstab für alles, was Jesus betrifft – an diesem Feuer mass ich alles, was ich erfuhr und was mir die Wissenden und Forschenden berichteten».

Symbol und Meditation

Die Entdeckung des Evangeliums Jesu – «ohne historisches Beiwerk» – führte keineswegs unmittelbar zu Taufe und Kirche. Das geschah erst viel später, als Rosenberg, zunächst von den Nazis zum «Ehrenarier» erklärt, in die Schweiz übergesiedelt war. Hier wandte er sich immer intensiver dem Symbol als Dominante von Kunst und Leben zu. Die Beschäftigung mit der Zeichensprache der Symbole ermöglichte ihm nicht nur in seinem künstlerischen Schaffen, sondern auch in seinem religiösen Erleben eine bisher ungeahnte Ganzheitsschau. Olga Fröbe, die Gründerin des Eranos-Kreises, führte ihn in die Tagungen dieser Gesellschaft ein, die dem symbolträchtigen Unter- und Hintergrund des Lebens nachforscht. Hier lernte er auch den Innsbrucker Jesuiten Hugo Rahner kennen, der sich um eine Überwindung abstrakter Begriffstheologie – «Vergehirnlichung der Glaubensverkündigung» nannte er sie – mühte.

Rahner, der Wiederentdecker der verschollenen christlichen Symboltheologie, nahm Rosenberg in die Kirche auf und blieb dem Freunde auf dessen Entdekkungsreisen in die menschliche Psyche – in den Bereichen Meditation, Esoterik, Mystik – bis zu seinem allzufrühen Tode verbunden. Alfons Rosenberg, seit 1958 Schweizer Bürger, hat unter schwierigen Existenzbedingungen in einer letzten Phase seines Wirkens als freier Publizist sich keine lautstarke, aber eine dankbare Gefolgschaft erworben, die sich zum Ziel gestellt hat, durch das symbolische und meditative Denken der übermächtigen Technik ein Gegengewicht entgegenzustellen.

Gottes Brücken über Abgründe

Im Rückblick auf seine reiche Lebenserfahrung schreibt Rosenberg: «Immer wunderbare Fügung! Eine meiner grundlegenden Erfahrungen ist, dass Gott die Brücken über den Abgrund früher baut als sich dieser auftut. Wie oft hat sich in meinem Leben scheinbar Zufälliges oder Überflüssiges ereignet, das ich nicht sinnvoll einzuordnen vermochte. Und erst nach Jahren oder nachdem ich eine Krise durchlitten und überwunden hatte, stellte sich heraus, dass das Mittel, sie zu bestehen, sich schon längst zuvor angekündigt hatte.»

* die Feier der Aufnahme des jüdischen Knaben in den Kreis der Männer als «Sohn des Gesetzes».

Vgl. Alfons Rosenberg: Die Welt im Feuer. Wandlungen meines Lebens. Herderbücherei Nr. 1011. Freiburg/Brg. 1983.

Verhüllte Tage

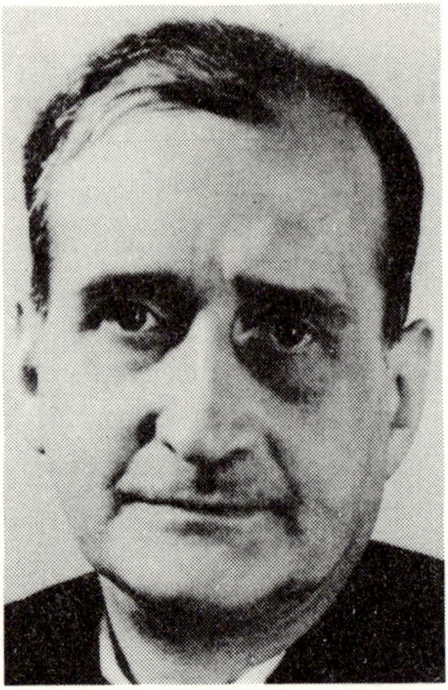

Reinhold Schneider
(1903–1958)

Das Etikett des christlichen Dichters, das man ihm aufklebte, trug dazu bei, dass er am falschen Ort eingeordnet wurde. Etwa bei denen, von denen André Gide meinte, sie könnten mit dem Pullman in den Himmel fahren. Vielleicht sind auch seine geschichtsdeutenden Werke allzu zeitgebunden. Sie sind nur verständlich aus einer Zeit heraus, in der die Geschichte die einzige Chiffre war, in der ein Schriftsteller, der die innere Emigration gewählt hatte, sich vernehmlich machen konnte. Aber als Christ, als Deuter und Dulder seiner Zeit bleibt Reinhold Schneider von atemberaubender Aktualität: Er blieb ein Suchender und Gespaltener, ein innerlich Zerrissener, ein immer wieder aufs neue Angefochtener, der sich zuletzt nur noch in die gläubig erinnerte Hand des Vaters hineinfallen lassen kann.

Untergänge und Katastrophen

Katastrophen und Untergänge bestimmen sein Leben; ein Hang zu Untiefen durchzieht sein Werk. Vom Vater hatte er «eine gewisse Erbschaft an Spaltung, Düsternis, einen Zug hinab, wenn nicht in den Orkus, so doch in das dunkle Reich solcher Last».

Der Zusammenbruch von 1918 trifft den Hoteliersohn aus Baden-Baden – das elterliche Haus, Hotel Messmer, war das Grand Hôtel der Kaiser und Könige gewesen – schwer. Die Familie verliert ihre Existenzgrundlage; Reinhold kann die Schule gerade noch mit dem Abitur abschliessen. Aus den entwürdigenden Arbeitsbedingungen eines landwirtschaftlichen Grossbetriebes siedelt er über in die Fron eines Dresdner Kunstkarten-Verlages. Inflation und Hungersnot schädigen seine Gesundheit auf Lebenszeit. «Glück war allein im Versinken, Sichtreibenlassen, im Untergang.» In dieser Aussichtslosigkeit reift in ihm der Entschluss, Hand an sich zu legen. Doch der Versuch misslingt. Die Narbe bleibt.

Begegnung mit Portugal und Spanien

Zurückgeholt in diese Welt, wächst in ihm der Mut zum Schreiben. Bereits das war eine Abkehr von der

Dunkelwelt zu Lichterem. Sie war vorbereitet durch eine umfassende, gierig betriebene Lektüre, die von den griechischen Philosophen hin zu Kierkegaard und Gerhard Hauptmann reichte. Die Bücher des baskischen Philosophen Miguel de Unamuno (1864–1934) bereiten seine Begegnung mit der portugiesisch-spanischen Kultur vor. Hier vermeint der junge Schriftsteller, die Landschaft seiner Seele zu spüren.

Unstillbarkeit des Hungers nach Unsterblichkeit bei Menschen und Völkern und die todeskampfähnliche Situation menschlicher Existenz. In den grossen Gestalten der iberischen Geschichte – Luiz de Camoes, Philipp II., Ignatius von Loyola, Teresa von Avila und Juan de la Cruz – begegnet ihm das Christentum. Er misst ihre Taten und Untaten an christlichen Massstäben: Ein Christ ist er noch nicht. Doch er ist unterwegs: Die Herrschaft der Dämonen lässt ihn Ausschau halten nach einer Fluchtburg.

Kirche: Wiedergefunden

«An einem Neujahrstag, 1937 oder 1938, ging ich in Potsdam zum ersten Male zur Heiligen Messe seit vielleicht zwanzig Jahren. Ich kam wie einer, der die Sprache verlernt hat, in die Heimat. Aber ich hatte die Sprache der Heimat nie erlernt und nun, langsam, indem sich mir alle Lebensumstände umkehrten, versuchte ich sie zu lernen. Ich war auf die objektive Wahrheit gestossen, die Wahrheit in Fleisch und Blut und zugleich göttliche ausserweltliche Macht. Sie ist für mich die einzige Macht, die ein Leben aus den Angeln heben kann.»

Religiöser Sanitätsdienst

In der Stunde von Deutschlands tiefster Erniedrigung bleibt er im Lande als innerer Emigrant. Als «religiösem Sanitäter» gelingt es ihm, in Verbindung mit seinem Freunde Josef Rossé vom Alsatia-Verlag in Kolmar eine Untergrundliteratur zu verbreiten: Gedichte und kleine Bücher, die, in Millionenauflage veröffentlicht, die Runde machen in Lagern und Kellern, bei Verfolgten und in den Schützengräben der Front. Das Berühmteste ist wohl «Nur den Betern wird es gelingen». In diese Zeit fällt auch die bekenntnishafte Reflexion: «Werk und Leben können untergehen, wenn nur zwischen Stromschnellen in der Nacht auf Blitzesdauer das Kreuz erschienen ist.»

Zweifel, der den Glauben nährt

Nach dem Kriege – Reinhold Schneider, unverheiratet, zwei Meter gross, soll nur noch 40 Kilo gewogen haben – kommt eine Woge von Anerkennung: Ehrendoktorate, Mitgliedschaft in Akademien, Literaturpreise. Aber auch Enttäuschungen bleiben nicht aus.

Die Wiederbewaffnung Deutschlands entspricht nicht den Vorstellungen des Pazifisten Schneider; die atomare Bewaffnung der Supermächte treibt ihn in neue Katastrophenängste hinein. In Wien, der letzten Station seines Lebens, verdichten sich die Ängste, steigen Zweifel wieder auf, verlässt ihn der Lebensmut. Er notiert: «Ich weiss, dass Er auferstanden ist; aber meine Lebenskraft ist so sehr gesunken, dass sie über das Grab nicht hinauszugreifen, sich über den Tod hinweg nicht zu sehen und zu fürchten vermag. Ich kann mir einen Gott nicht denken, der so unbarmherzig wäre, einen todmüden Schläfer unter seinen Füssen, einen Kranken, der endlich eingeschlafen ist, aufzuwecken. Kein Arzt, keine Pflegerin würde das tun, wieviel weniger Er.»

Am Ostersonntag, dem 6. April 1958, stirbt Reinhold Schneider nach einem Sturz auf der Strasse im Loretto-Krankenhaus in Freiburg im Breisgau.

Für diese Skizze bin ich besonders verpflichtet dem Beitrag von Edwin Maria Landau: Reinhold Schneider (1903–1958), in: Zeitgeschichte in Lebensbildern (Herausgeber J. Aretz, R. Morsey, A. Rauscher). Bd. 6, Mainz 1984.

Ein gewagtes Leben

Tisa
von der Schulenburg
(geb. 1903)

Ihr Name ist lang. Lang auch ihre Ahnengalerie. Um in diesem Jahrhundert zu bleiben: der Vater General, ein Verwandter der letzte deutsche Botschafter in St. Petersburg, ein Bruder – Fritzi – und ein Vetter in die Verschwörung des 20. Juli 1944 verwickelt und hingerichtet. Noch viel länger sind ihre Umwege zum lebendigen Gott.

Tolle Jahre

Tisa wächst mit vier Brüdern auf. Sie liebt die Spiele der Jungen und fügt sich ungern der Disziplin der Gouvernanten. Die Schulzeit verbringt sie im «Stift Heiligengrabe», in dem die Töchter des preussischen Adels – «des Kaisers weibliche Kadetten» – erzogen wurden. Als sie 21jährig zum Kunststudium nach Berlin zieht, wirft sie alles über Bord: den evangelischen Glauben, Tradition, Sitten. Es heisst in ihrem Lebensbericht:

«Ich verfiel dem hemmungslosen Drang, mich auszuleben. Ich wollte ‹frei› sein. Dieses Freisein hiess meinen Trieben folgen. Männer. Wie ein Blinder taumelte ich dahin . . . Die vermeintliche Freiheit wurde zur Sklaverei.»

Nach mehreren Affären wurde die erste Ehe mit einem Juden und Millionär den Eltern abgetrotzt.

Emigration

Doch auf die tollen zwanziger Jahre folgt der Nachtmahr der Zeit nach 1933. In der Emigration in England zerbricht die erste Ehe. Kontakte bestehen vor allem zur intellektuellen Prominenz der deutschen Emigration, unter anderen zur Familie Freud.

Henry Moore, der Bildhauer, hilft ihr bei ihren künstlerischen Versuchen. Doch einen Halt findet sie nicht. Auch nicht in der sozialen Arbeit bei den Bergarbeitern von Durham. «In mir war eine wilde Eigensucht, eine Triebhaftigkeit, der ich hilflos gegenüberstand. Mich hielt die geschlechtliche Verfallenheit gefangen wie eine tödliche Krankheit. Es half kein Vorsatz, kein Wollen, nichts. Keine Analyse. Keine Aussprache. Kein Einsatz. Keine Arbeit.»

Im Lande der Finsternis

Zwei Tage nach der Aussöhnung mit dem Vater stirbt dieser. Weil Hitler für den alten General die Maskerade eines Staatsbegräbnisses verordnet, darf sie 1939 nicht mehr nach England zurück. Die überzeugte Gegnerin der Nazis muss in Deutschland bleiben. Sie heiratet einen Jugendfreund und führt einen Gutsbetrieb. Selber kinderlos, hilft sie, wo sie kann: der Schwägerin und ihren Kindern, Regimegegnern, Flüchtlingen, Kriegsgefangenen. Nach der Hinrichtung ihrer Verwandten und der Sippenhaft ihrer Familie (20. Juli 1944) wachsen Verbitterung und Hass. Doch der Hass führt nicht zu Gott. In den düsteren Tagen der Bespitzelung, der Bombenteppiche, der Vertreibung von Haus und Hof und der Verwandlung deutscher Städte in riesige Ruinenfelder kommt es höchstens zu einem Aufschrei zu Gott, jedoch zu keiner Wende. Hinaus aus Deutschland, ist ihr einziger Gedanke.

Dieser Plan wird durchkreuzt, als die Engländer ihr wie 1939 den Pass verweigern. Die Verweigerung führt zum völligen Zusammenbruch. Nun erst, in der Tiefe des Abgrundes, findet sie zum Gebet, erfüllt sich ihr Taufspruch: «Mit ewiger Liebe will ich mich deiner erbarmen.» Der kleine Wohnwagen, den die Gutsherrin ihr eigen nennen darf, wird zum Zeugen ihrer seelischen Erschütterung.

Frei und erlöst

Der Gedanke, katholisch zu werden, hat sie gepackt in jenen Tagen, als sie die Hirtenbriefe des Bischofs Graf Galen von Münster gegen den menschenverachtenden Ungeist gelesen hat. Es braucht den Schock eines Unfalls – beim Schwimmen wirft sie sich mit Wucht auf einen im Wasser verborgenen Pfahl –, bevor sie um Aufnahme in die katholische Kirche bittet. «Das Wesen des Katholizismus» Karl Adams ist das erste Buch, das sie liest. Sie erfährt, was es heisst, durch den Tod Jesu Christi erlöst zu sein, ihm die Schuld anvertrauen zu dürfen und durch das Sakrament der Busse befreit zu werden. Sie begegnet Menschen, die wie sie auf Umwegen zu Gott gefunden hatten und nun alles dransetzen, um dieses neue Leben ganz zu leben. Einer dieser Menschen ist Heinrich Spaemann, in seinen Anfängen Kommunist, nach dem Tod seiner Frau katholischer Priester, heute vielgelesener geistlicher Schriftsteller. Mutter Petra Brüning bereitet ihr den Weg zum Eintritt in das Ursulinenkloster Dorsten in Westfalen (1950).

Hier lebt und wirkt die Ordensfrau Tisa von der Schulenburg, zunächst als Zeichenlehrerin am Gymnasium, seit ihrer Pensionierung als freischaffende Künstlerin. Über die Zeit im Kloster ein Nachsatz, lapidar und nüchtern, wie es dem Meissel ihrer Sprache entspricht:

«Auch hier ist Wollen und Vollbringen nicht eins. Das Ganze ersehnt man und bleibt immer zurück.»

Vgl. Tisa von der Schulenburg: Ich hab's gewagt. Bildhauerin und Ordensfrau – ein unkonventionelles Leben. Herderbücherei Nr. 874. Freiburg/Brg. 1981.

Der Christ der Zukunft

Madeleine Delbrêl (1904–1965)

Als Madeleine Delbrêl 1965 in der Bannmeile von Paris starb, wurde sie als «Typus des Christen der Nachkonzilszeit» bezeichnet. Und zwar nicht von eilfertigen Journalisten, die mit Etikettierungen rasch bei der Hand sind, sondern von Männern, die das Zweite Vatikanische Konzil vorbereitet hatten.

Madeleine Delbrêl hat ihr Leben freiwillig in einem vorwiegend marxistischen Arbeitermilieu verbracht. Sie ist in die Schächte des Unglaubens hinabgestiegen und war allen Versuchungen ausgesetzt, die heute den

Christen gerne befallen und ihm vorspiegeln, sein Leben im Streben nach einer besseren Welt aufgehen zu lassen. Sie hat gezeigt, dass es immer noch möglich ist, die Welt ernstzunehmen, ohne ein Jota an der Botschaft Jesu zu streichen, dass Spannungen in der Kirche durchgehalten werden müssen, wenn Reformgeist Früchte bringen soll.

Unterwegs zum Glauben

Katholisch getauft, aber mit 15 Jahren völlig atheistisch, fand sie als junge Frau zum Glauben und zur Kirche wieder in der Reflexion über die Unausweichlichkeit des Todes. Die radikale Konsequenz des Nihilismus und der letzten Sinnlosigkeit des Lebens liess sie erschauern. Ihr widersprach ihr ganzes Lebensgefühl. Noch glaubte sie nicht; doch sie verlor allmählich ihre Selbstsicherheit als Atheistin. Sie entschloss sich, zu beten. «Seither habe ich durch Lektüre und Reflexion Gott gefunden.»

Eine glänzende Karriere als Professorin – sie gewann mit 22 Jahren einen bekannten Literaturpreis – steht ihr bevor. Doch sie schlägt eine andere Richtung ein. Sie leitet eine Pfadfindergruppe und studiert nebenher soziale Fürsorge. Der geistliche Berater ihrer Gruppe führt sie an das Evangelium heran. Madeleine versucht, aus dem Geist unmittelbarer Christusnachfolge zu leben. Zeitweilig denkt sie daran, in den Karmel einzutreten. Nach einigem Zögern entschliesst sie sich, als Fürsorgerin in einem Arbeiterviertel in der Bannmeile von Paris zu arbeiten. Einige Freundinnen und Gleichgesinnte stossen zu ihr; es bildet sich eine kleine Gemeinschaft, die auf sozialem

Gebiet arbeitet und ihr «Haus der Begegnung» offenhält.

Zeugnis unter Atheisten

Ivry ist die erste Stadt in Frankreich mit einer kommunistischen Stadtverwaltung. Praktizierende Christen hier hatten es schwer. Das ändert sich langsam. Madeleine selber trägt zu diesem Klimawechsel bei: Sie versteht zu organisieren, Hilfsquellen zu erschliessen und Menschen zu beraten. Sie packt die Probleme ohne Rücksicht auf die Person an. Sie ist ihrer Aufgabe gewachsen. Nur eines verwundert: Dass sie nicht Kommunistin ist. Sie lernt grossartige Menschen kennen unter den Kommunisten, denen gegenüber viele in sich selbst und in ihre Privatfrömmigkeit verklemmte Christen hässlich und unansehnlich waren. Trotz aller Sympathie, die sie diesen Menschen entgegenbringt, widersteht sie der Versuchung, der kommunistischen Partei beizutreten. Ihre Antwort an die «roten» Freunde lautete:

«Wenn ihr auch die mittelmässigen Christen kritisiert, die wir sind, so werden wir keine Diskussion akzeptieren über Phantasie-Gebilde oder Karikaturen des Christen. Der Christ strebt nach Ähnlichkeit mit Jesus Christus. Diskutiert Christus. Dann können wir miteinander reden.»

Krise der Kirche – Krise des Gottesbildes

Die Krise der Kirche, die sie in der Vor- und Nachkonzilszeit erlebte, ist für sie zuerst Krise des Gottesbildes. Als Fassade kann das Christentum noch nach aussen bestehen, auch wenn die Wirklichkeit des lebendigen Gottes längst aus diesem traditionsschweren Bau gewichen ist. Hier kann nur eine Wurzelbehandlung helfen. Das heisst: Das Gottesbild aus seiner Erstarrung und Leblosigkeit lösen, die Formeln durchbrechen, sich vom lebendigen Gott ergreifen lassen. Sich selber prüfen, ob man glaubt oder ob man Formeln gurgelt.

Die härteste Prüfung hatte sie zu bestehen in der Krise der Arbeiterpriester. Sie war eine leidenschaftliche Beteiligte an dem, was man das grösste missionarische Abenteuer des 20. Jahrhunderts genannt hat. Sie hatte Kontakt zu allen Zellen, die zwischen Lisieux und Marseille gegründet wurden. Sie diskutierte mit allen Gruppen und Richtungen dieses Experiments; das teilweise Scheitern des Experimentes und die römische Verurteilung des Unternehmens trafen sie im eigenen Fleisch. Jenseits menschlicher Unzulänglichkeit besaß diese Frau, die keine Theologie studiert hatte, ein feineres Gespür für die eigentlichen Probleme als viele Priester, die ihr begegnet waren. So schrieb sie mitten in der schweren Krise von 1954 einem Arbeiterpriester:

«Ich habe Angst, dass Ihr wie eine Frau, die nicht wüsste, dass man in Schmerzen gebiert, die nichts von ihren eigenen Schmerzen verstünde, dasjenige in sich lähmt und blockiert, was zerreisst und gebiert, dass Ihr wie diese Frau Euren Auftrag bei Euch behalten wollt. Solange das Kind bei der Mutter ist, ist es im Leibe eines Erwachsenen; geboren werden, das heisst klein und ungeschützt werden... Um ein erwachsener

Mensch zu werden, muss man aber klein und ungeschützt gewesen sein.»

Vgl. Madeleine Delbrêl – Porträt des Christen der Zukunft. In: Victor Conzemius: Propheten und Vorläufer. Zürich, Einsiedeln, Köln 1972, S. 304–316; Christine de Boismarmin: Madeleine Delbrêl. Ein Leben unter Menschen, die Christus nicht kennen. München 1986.

Politik aus dem Evangelium

Giorgio La Pira
(1904–1977)

«Werft den Kadaver des Staatsatheismus aus dem Grab, wie ihr den Kadaver von Stalin ausgegraben habt; es sind Kadaver, die im gleichen Grab ruhen; es ist notwendig, sie hinauszuwerfen, damit im Grab und auch über dem Grab Friede, Freiheit und eine neue Zivilisation erblühen.»

Der Mann, der dieses schrieb, war kein ergrimmter antikommunistischer Streiter, der, etwa in einer Wahlversammlung, diese Worte an die Adresse des Gegners richtete. Vielmehr hat er diese Sätze nach

Moskau an Chruschtschow telegrafiert, den Sekretär der Kommunistischen Partei Russlands. Dieser hatte ihm kurz zuvor als ein Zeichen besonderer Hochschätzung den Text jener Rede geschickt, mit der er auf dem Parteitag das Monument Stalin vom Sockel gestürzt hatte.

Frei von Menschenfurcht

Nur Giorgio La Pira, der Bürgermeister von Florenz, konnte sich eine solche direkte Sprache evangelischer Einfalt erlauben. La Pira gehört zu den nicht sehr zahlreichen Menschen unseres Jahrhunderts, die Politik, insbesondere Kommunalpolitik, direkt aus dem Evangelium betrieben und mit der Einfalt der Tauben diesem Geiste Eingang in die Weltpolitik verschaffen wollten:

«Ich schreibe Ihnen mit absoluter Gradheit des Herzens, ohne jedes taktische Finassieren, frei von Täuschung, Propaganda und Polemik», heisst es in einem Brief vom 26. Oktober 1961 an Chruschtschow:

«Ich schreibe Ihnen mit dem Herzen eines Christen und deshalb brüderlich vor dem Anblick unseres Vaters im Himmel, der die geheimsten Winkel menschlichen Denkens und Fühlens kennt. Brüderlich und innig bitte ich Sie, von der auf 31. dieses Monats vorgesehenen nuklearen Explosion abzusehen.»

Der Mann, der sich im Umgang mit den Mächtigen dieser Erde einer solchen Sprache bediente, war kleingewachsen, nahezu unscheinbar. Mit seinem grossen

Schlapphut erregte er zunächst eher Heiterkeit als Aufsehen. Er vereinigte alle jene Widersprüche, die einer nordisch-rational orientierten Theologie Rätsel aufgeben: Er praktizierte persönliche Armut, lebte den Zölibat, betete das Brevier, besuchte täglich die Messe und fürchtete sich nicht, in der gottlosesten Umgebung den Namen Gottes und der Madonna aus- und anzurufen. Dass diese Frömmigkeit in ihrer kindlich lauteren Einstellung gegenüber den kirchlichen Autoritäten mit einer zum Staatssozialismus hinneigenden politischen Praxis koexistierte, ist eine weitere Komponente, die rationaler Logik widerstreitet.

Von Sizilien nach Florenz

Geboren wurde Giorgio La Pira bei Ragusa auf Sizilien als Sohn eines Gutsverwalters. Er wuchs mit sechs Geschwistern auf und erwarb zunächst das Diplom als Buchhalter. Doch seine reiche Begabung und sein Fleiss drängten nach mehr. Im Selbststudium lernte er Latein und Griechisch und immatrikulierte sich in Florenz zum Studium der Rechte. Mit 21 Jahren promovierte er und bereitete sich auf eine akademische Laufbahn vor. 1934 wurde er in Florenz Professor für Institutionen des römischen Rechtes. Von Florenz kam er nicht mehr los. In den Jahren des Faschismus, als auch in Italien das Bild des neuen Übermenschen herumspukte, konzentrierte er sich mit seinen Freunden Fanfani, Dossetti, Montini (später Papst Paul VI.) auf das christliche Menschenbild. Mit ihnen erarbeitete er Grundzüge einer christlichen Politik. 1951 wurde der Antifaschist La Pira zum Bürgermeister von

Florenz gewählt, ein Amt, das er mit kurzer Unterbrechung nahezu sechzehn Jahre innehatte. Kurz nach dem Krieg wurde er zugleich Abgeordneter der Democrazia Christiana im römischen Parlament. Als Kommunalpolitiker griff er zu unorthodoxen Methoden, um soziale Probleme und wirtschaftliche Spannungen zu lösen. So berief er sich z.B. angesichts krasser Arbeitslosigkeit aufs Grundmodell der Parabel vom barmherzigen Samariter: Als christlicher Politiker könne er angesichts des Dilemmas menschlicher Not und starren Legalismus' nicht davon absehen, dirigistische Massnahmen zu treffen und den Betroffenen aus der Staatskasse zur Hilfe zu kommen.

Botschafter des Friedens

Noch grösseres Aufsehen erregten seine Ausflüge in die Weltpolitik. Er leistete sich Extratouren, die viele verwunderten, andere verärgerten; Unternehmungen, denen meist der politische Erfolg versagt blieb, weil sie aufs Ganze der Friedenssicherung gingen. Dass sie jedoch atmosphärisch eine Friedenshoffnung aufrechterhielten, lässt sich nicht bestreiten. Mitten im Kalten Krieg, im Jahre 1952, begründete er die «Internationalen Gespräche für den Frieden und die christliche Kultur». 1955, am Fest des hl. Franz von Assisi, trommelte er die Bürgermeister der grossen Metropolen der Weltmächte zusammen: von Paris, Moskau, Washington, Peking und Berlin-Ost. Dem Bürgermeister von Peking sagte er mit verschmitztem Lächeln: «Sagen Sie Ihrer Regierung, dass die Republik von Florenz die chinesische Volksrepublik anerkennt.» In diesen Jahrzehnten tauchte er auf allen grossen Krisenplätzen und Machtzentren auf als Botschafter des Friedens, aufdringlich und selbstverständlich sein christliches Bekenntnis in den Vordergrund stellend: im Konflikt zwischen Frankreich und Algerien, in Hanoi, um zwischen Ho-Chi-Minh und Präsident Johnson zu vermitteln, und vor allem im Nahen Osten, um den Dauerkonflikt zwischen Israel und der arabischen Welt einer Lösung zuzuführen. Den ägyptischen Präsidenten Anwar-el Sadat ermutigte er, um des Friedens willen jene Initiativen zu ergreifen, die im arabischen Lager weniger Zustimmung fanden. Sadat selber bewunderte La Piras verwegenes Christentum so sehr, dass er persönlich am ägyptischen Fernsehen dessen Tod kommentierte.

«Betet und bestürmt Maria, damit sie für uns eintritt», war eines der Lieblingsworte La Piras. Die Schwestern kontemplativer Orden lud er in seinen Rundbriefen (2 Bände) zu einem Kreuzzug des Gebetes ein. Eines seiner letzten schriftlichen Zeugnisse war ein Bekenntnis zur Auferstehung des Leibes.

La Piras Beerdigung wurde ein triumphales Begängnis in dem Stil, wie im Mittelalter ein Heiliger beigesetzt wurde. «Bolschewik des Evangeliums» hat man ihn, den radikalen Gegner des Staatsatheismus, genannt, «Rotes Fischlein im Weihwasserbecken». Ob in der Schweiz ein solches Fischlein in irgendeinem Wasserbecken überhaupt eine Überlebenschance hätte?

Vgl. Marcel Jacob: Giorgio La Pira. Der seltsame Bürgermeister von Florenz. Zürich 1955; Antonio Lugli: Giorgio La Pira. Padova 1978.

Im Feuerofen der Zeit

Franz Stock
(1904–1948)

In den Junitagen 1963, als man in Rom Papst Johannes XXIII. ins Grab legte, gruben Deutsche und Franzosen auf dem Friedhof von Thiais (Frankreich) den Sarg von Franz Stock aus und setzten ihn in der Kirche Saint-Jean-Baptiste in Chartres bei. Das päpstliche Grusswort für die Feierstunde trug die Namenszüge eines Toten. Dieser Segen eines Papstes – bei guter Verbindung zu kurialen Stellen kann man ihn am Laufmeter bestellen – war diesmal keine blosse Formalität. Nuntius Roncalli hatte den Abbé Franz Stock als Regens des Seminars kriegsgefangener deutscher Theologen in Le Coudray bei Chartres kennengelernt und einem deutschen Landsmann, der ihn kurz nachher besuchte, gesagt: Abbé Stock, das ist kein Name, das ist ein Programm!

Liebe zu Frankreich

Von Haus aus war er Romantiker, auf alle Fälle ein musischer Mensch. 1904 in Neheim (Erzdiözese Paderborn) als Sohn eines Arbeiters geboren, entschloss er sich nach dem Abitur, Priester zu werden.

Dem jungen Mann einer Zwischenkriegsgeneration waren die trügerischen nationalen Sicherheiten seiner Lehrer am Paderborner Priesterseminar abhanden gekommen. Hatte doch einer dieser Professoren im überzeugten Glauben an den deutschen Endsieg das «Jenseitsschicksal» der auf deutscher Seite Gefallenen exegetisch-theologisch dahin gedeutet, dass ihr Tod «wahrhaft» dem Tod der Märtyrer, der Blutzeugen Jesu Christi, verglichen werden kann!

Franz Stock hingegen verliebte sich in den vormaligen Erzfeind der Deutschen. Mit seiner ganzen Existenz warf er sich in den Graben zwischen Franzosen und Deutschen, um ihre Aussöhnung voranzutreiben.

Als sich 1929 die Frage der sogenannten Freisemester stellte – Theologen an deutschen Priesterseminarien hatten die Möglichkeit, für ein oder zwei Jahre eine Universität ihrer Wahl auszusuchen –, entscheidet Stock sich für Paris. Von Frankreich kommt er nicht mehr los. Das Land hält ihn gefangen mit seiner Kultur, seiner missionarischen Seelsorge, es hält ihn in Reserve für eine der schwierigsten Aufgaben, die auf einen Menschen zukommen kann. Er übersetzt französische Gedichte, ein Werk von Pierre Lhande über neue Methoden christlichen Zeugnisses, «Christus in der Bannmeile von Paris», und schliesst Freundschaft mit Joseph Folliet, dem Inspirator der «Semaines Sociales».

Von der Idylle zum Feuerofen

Er ruht und rastet nicht, bis er nach zwei Jahren Vikariat im Ruhrgebiet (1932 Priesterweihe) zurückkehren kann, um die dort lebenden Katholiken zu betreuen. Nach aussen sind es friedliche Jahre: die normale Tätigkeit einer Auslandsseelsorgestation mit ihren Hilfeleistungen, sozialen und Bildungsprogrammen. Das ändert sich schlagartig nach der Besetzung von Paris durch die Deutschen im Sommer 1940. Stock, der nach Kriegsausbruch Frankreich verlassen muss, darf nun wieder zurückkehren. Eine neue, verzehrende Aufgabe wartet auf ihn. Französischen Priestern ist der Zugang zu den Gefängniszellen ihrer Landsleute untersagt. Die deutschen Kriegspfarrer in Wehrmachtsuniform werden von den Franzosen abgelehnt. Franz Stock trägt keine deutsche Uniform, auch nicht, als er 1941 Standortpfarrer im Nebenamt wird. Eine Rotkreuzbinde auf dem Ärmel seiner Soutane wird in den überfüllten Gefängnissen zum Code-Zeichen der Hoffnung.

Simon von Cyrene

Doch noch Schwierigeres als Tröstung in Gefängniszellen steht ihm bevor: Zum Tode Verurteilte auf ihrem Weg zur Hinrichtungsstätte, zum Mont Valérien, in jenen Jahren Kalvarienberg genannt, zu begleiten. Einmal sind es 80 Geiseln, die der deutsche Besetzer zur Hinrichtung abgezählt hat.

«Oft weinten die Männer, wir putzten ihnen die Nase und liessen Zigaretten wandern. Weil die Soldaten in der Regel zu rauh waren, banden wir selbst die Verurteilten am Erschiessungspfahl an und verbanden ihnen die Augen. Sie vertrauten uns dabei die letzten Gedanken an ihre Lieben an, umarmten uns.»

Kein Name, ein Programm

Über zweitausend Menschen hat Franz Stock zum Todespfahl begleitet: Franzosen, Juden, Deutsche, Greise, Väter und ihre Söhne, fast noch Kinder. Als deutscher Staatsangehöriger nach der Befreiung Frankreichs interniert, gelingt es ihm aufgrund des Kredites, den er sich als Seelsorger im Feuerofen jener Jahre erworben hat, ein Priesterseminar in der Nähe von Chartres für kriegsgefangene deutsche Theologen aufzubauen.

Der Mann, der sich ganz an seine Aufgabe hingegeben hatte, war verbraucht. Am 24. Februar 1948 stirbt er im Pariser Hospital Cochin, keine 44 Jahre alt. 1951, drei Jahre nach seinem Tod, setzten die Familien der französischen Gefangenen und Erschossenen von Fresnes, La Santé und Cherche-Midi ihrem Abbé Stock einen Grabstein. Sein Name ist, wie Nuntius Roncalli, der spätere Johannes XXIII., sagte, noch heute ein Programm; ein Programm, das für Hingabe, Mit-Leiden und Mit-Tragen in auswegloser Situation gilt.

Vgl. René Closset: Er ging durch die Hölle. Franz Stock. Paderborn [5]1984.

Im Angesicht des Todes

Alfred Delp
(1907–1945)

Im Februar 1945 erreichte Frau Maria Delp in Lampertheim bei Mannheim die Nachricht:

«Ihr Sohn, der Ordensgeistliche Alfred Delp, ist wegen Hoch- und Landesverrats vom Volksgerichtshof des Grossdeutschen Reiches zum Tode verurteilt worden. Das Urteil ist am 2. Februar 1945 vollstreckt worden. Die Veröffentlichung einer Todesanzeige ist unzulässig.»

Wer war dieser Volksschädling Alfred Delp, der gegen das Grossdeutsche Reich konspiriert hatte und nun, drei Monate bevor dieses Reich der Schmach und Schande zusammenbrach, den Märtyrertod erleiden musste? Alfred Delp war ein junger Jesuit, eine der grossen Hoffnungen der deutschen Ordensprovinz, ein unerschrockener Verkünder von Gottes Wort und Seiner Ordnungen in einer Zeit, in der grössenwahnsinnige Menschenverächter seine deutsche Heimat in Fesseln geschlagen hatten.

Eine ungewöhnliche Begabung

Delp, der einer Mischehe entstammte – der Vater war ein mittlerer Angestellter –, war katholisch getauft, besuchte jedoch auf Drängen des Vaters den protestantischen Religionsunterricht. Kurz vor der Konfirmation überwarf sich der unabhängige und frühreife Knabe mit dem protestantischen Pfarrer und liess sich vom katholischen Ortsgeistlichen Erstkommunionunterricht erteilen. Der Ortspfarrer – das Pfarrhaus lag in der Nähe des Elternhauses – bereitete ihn auch auf das Gymnasium vor. Der ungewöhnlich begabte junge Mann übersprang mehrere Klassen und ging als Klassenerster aus der Reifeprüfung hervor. Sein Entschluss, in den Jesuitenorden einzutreten, überraschte. Auch hier fiel seine Begabung auf: Messerscharfer Verstand, rasches Auffassungsvermögen und Disputierlust. Aber auch die Kräfte des Gemüts und des praktischen Durchsetzungsvermögens waren bei ihm nicht zu kurz gekommen. Er war hilfsbereit, ansteckend fröhlichen Temperaments und wagemutig im Beschreiten neuer Wege, ganz besonders in der Jugenderziehung. Als Studentenpräfekt am Kolleg

«Stella Matutina» in Feldkirch haben ihn auch einige Schweizer kennengelernt. Frater Delp schrieb Theaterstücke, führte sie mit den Jungen auf, brach mit dem Prinzip der totalen Überwachung und entwickelte statt langweilig-braver Spaziergänge Geländespiele mit den Jugendlichen. 1937 weihte ihn Kardinal Faulhaber in St. Michael in München zum Priester.

Wagemut und visionäre Einsicht

Das besondere Interesse des Ordensmannes galt sozialen und politischen Fragen. Doch die Machthaber und ihre servilen akademischen Handlanger verweigerten dem Mann aus dem verhassten und geschmähten Orden die Erlaubnis zum Studium. So wirkte er dort, wo Not am Mann war: im Predigtdienst und in der Männerarbeit. Als die Nationalsozialisten im Zuge massenhafter Klosteraufhebungen 1941 die Münchner Ordensniederlassung «Stimmen der Zeit» beschlagnahmten, fand Pater Delp eine Anstellung als Rektor an der St.-Georgs-Kirche in München-Bogenhausen.

Seine Predigten waren gut besucht. Doch ein Teil seiner Aktivitäten spielte sich im Verborgenen ab. Er wurde Mitglied des «Kreisauer Kreises» (nach dem Moltkeschen Gut Kreisau benannt), in dem man zwar kein Attentat auf Hitler plante, sich aber Gedanken darüber machte, wie ein demokratisches und freies Deutschland nach dem Zusammenbruch des «Tausendjährigen Reiches» aussehen könne und müsse. Ein ungleiches Gespann, Graf Helmuth Moltke, Aristokrat, überzeugter evangelischer Christ, Grossneffe des Reorganisators des deutschen Heeres unter Bismarck, und der junge Jesuit aus eher kleinbürgerlichen Verhältnissen, die zueinander fanden. Moltke wurde im Januar 1944 verhaftet, Delp nach dem Attentat auf Hitler vom 20. Juli dieses Jahres. Roland Freisler, der Mörder in der Richterrobe – Präsident des Volksgerichtshofes liess er sich nennen –, verurteilte beide zum Tode. In der Frühe des 2. Februar 1945 wurde Alfred Delp in Berlin-Plötzensee gehenkt. Seine Asche wurde, wie ein Führerbefehl angeordnet hatte, auf den Rieselfeldern Berlins verstreut. Als sein Vermächtnis an die Kirchen hat Alfred Delp unübertrefflich formuliert: «Überwindung des Theologengezänks und der Kirchenspaltung sowie Rückkehr der Kirchen in den Dienst der Menschheit. Und zwar in einen Dienst, den die Not der Menschheit bestimmt, nicht unser Geschmack oder die Gewohnheiten einer noch so bewährten kirchlichen Gemeinschaft.»

Vgl. Alfred Delp: Gesammelte Schriften. Hrsg. von Roman Bleistein. 4 Bde. Frankfurt 1982/1984.

Gott mehr gehorchen als den Menschen

Franz Jägerstätter (1907–1943)

Im Juli 1943 wurde der österreichische Bauer Franz Jägerstätter vom Reichsgericht in Berlin wegen Zersetzung der Wehrkraft verurteilt. Jägerstätter hatte keine Sabotage betrieben, keine Untergrundbewegung geleitet, sich an keiner Verschwörung beteiligt. Er hatte sich bloss aus Gewissensgründen geweigert, in Hitlers Armeen zu dienen. Hunderttausende hatten dem Stellungsbefehl Folge geleistet; neben den Zeugen Jehovas, die grundsätzlich den Militärdienst ablehnten, war Jägerstätter einer der ganz wenigen Christen aus den grossen Konfessionen, die sich aus prinzipiellen Gründen weigerten, für Hitler zu kämpfen. Es war der Unrechtscharakter des Regimes, der ihn in seine unbeugsame Haltung hineintrieb.

Starrsinn oder prophetisches Zeugnis?

Der vom Gericht bestellte Pflichtanwalt versuchte sein Möglichstes, um das Leben des grundanständigen Mannes zu retten. Jägerstätter hatte zu Hause eine Frau und drei Kinder. Bereits früher hatten der Bischof von Linz und der Ortspfarrer ihm zugeredet, dass die Verantwortung für Frau und Kinder grösser sei als die Mitverantwortung in einem ungerechten Krieg. Doch Jägerstätter beharrte auch im Angesicht des Todesurteils auf seinem Standpunkt. So kam es, wie es kommen musste. Am 9. August 1943 wurde er im Brandenburger Zuchthaus enthauptet.

War es nicht unverzeihliche Torheit gewesen, sich gleichsam mutwillig unter das Fallbeil des Henkers zu werfen? Wem war damit gedient? Nicht der Frau und den Kindern, die ihren Ernährer verloren, nicht dem Dorf, das über den «Volksverräter» den Kopf schüttelte, nicht der Sache selber, denn die Rebellion eines einzelnen macht noch keine Schule. Wer hatte diesen österreichischen Bauern zu seinem Aufstand legitimiert?

Franz Jägerstätter wurde 1907 im Dorfe St. Radegund an der Selzach in der Nähe der bayerischen Grenze geboren. Er war ein lebenslustiger junger Mann, Rädelsführer bei Dorfanlässen und Raufereien. Er besass das erste Motorrad im Dorf und verstand, damit aufzutrumpfen. Kurz vor seiner Heirat zeichnete sich bei ihm ein religiöser Wandel ab. Im Dorf raunte man sich zu, aus dem flotten, losen Burschen sei auf einmal ein Betbruder geworden: Täglicher Besuch der heiligen Messe, häufiger Empfang der heiligen Kommunion, Eintritt in den Dritten Orden des heiligen Franz und wiederholte Wallfahrten ins benachbarte Altötting.

Der Aufstand des Gewissens

Der junge Bauer verfolgt mit grosser Besorgnis die Entwicklung in Deutschland. Sein religiös geschärfter Blick erkennt mit prophetischer Sicherheit den dämonischen Charakter des Hitlerregimes. Als am 11. März 1938 deutsche Truppen Österreich besetzen, stimmt er als einziger Dorfbewohner mit Nein gegen den Anschluss. Für sich lehnt er jede Kollaboration mit dem Regime ab und weicht keiner Entscheidung aus. Er geht auch keinem ins Garn, der ihn mit dem Argument locken möchte, es stehe die Existenz des christlichen Europas gegenüber dem Bolschewismus auf dem Spiel. In seinen Aufzeichnungen heisst es:

«Glauben denn wirklich einige, durch dieses massenhafte Blutvergiessen vielleicht das Christentum in Europa so vor dem Untergang zu retten oder vielleicht gar dadurch zu neuer Blüte zu bringen? ... O wir armes, durch grossen Wahn verblendetes Volk, werden wir noch einmal zur Vernunft kommen? ... Andere Völker haben doch wenigstens ein Recht, Gott um Frieden zu bitten, und dass er uns Deutschen die Waffen aus der Hand schlage...»

In langen Betrachtungen auf dem Felde und in schlaflosen Nächten hatte Franz die Dinge bis ins Grundsätzliche überdacht und sich ein Urteil gebildet. Was in der Welt vorging, war ein Entscheidungskampf zwischen zwei Reichen, zwischen dem Reiche Gottes und dem Reiche seines Widersachers. Der Christ durfte nicht weniger radikal sein als der überzeugte Nationalsozialist. Aus dieser Überlegung heraus verweigerte er in klarer Erkenntnis der möglichen Folgen den Dienst in Hitlers Heeren. Seine Briefe aus dem Gefängnis an seine Gattin atmen eine Ruhe und Gelassenheit, wie nur ein innerlich freier Mensch sie besitzen kann.

Radikale Konsequenz

Der Bauer aus St. Radegund wollte nicht mehr als ein tapferer, Gott gehorsamer Zeuge sein. Auf ihn trifft das zu, was der evangelische Bischof Dibelius einst schrieb:

«Der radikale Pazifismus christlicher Art schliesst immer die Bereitschaft zum Martyrium ein. Wer das Gottesreich ohne Übergabe und ohne Kompromisse will, stösst mit den Mächten dieser Welt zusammen und wird zum Märtyrer... Die Männer, die den Krieg zu führen haben, werden es nicht verstehen... die grosse Masse wird es auch nicht verstehen.

Was liegt daran? Wer das Gottesreich will, ganz und unbedingt, darf nicht nach dem Urteil der Menschen fragen. Sein Lohn ist höherer Art. Und die, die um ihres Gewissens willen den Krieg verweigern, werden eben darin ihre königliche Freiheit finden, dass sie trotz des Ansturms der Gewalt ihren Glauben rein und ihre Hände unbefleckt halten und des Tages warten, wo ein Höherer das Urteil spricht.»

Vgl. Gordon Zahn: Er folgte seinem Gewissen. Das einsame Zeugnis des Franz Jägerstätter. (Deutsche Übersetzung von Grete Steinböck.) Graz, Wien, Köln 1967.

Ein Leben mit den Müll-Menschen

Mutter Emanuela von Kairo (geb. 1908)

Emmanuelle – zu deutsch Emanuela: Der Name hat bei uns in den letzten Jahren als Inbegriff raffinierter Geilheit Furore gemacht. Mit dem Geld, das die «Emmanuelle»-Filme eingespielt haben, hätte man wohl die Slums mehrerer Grossstädte sanieren können. Emmanuelle Cinquin, die den Müll-Menschen von Kairo buchstäblich aus dem Dreck und Schmutz hilft, bringt ihren Namen in seiner Ursprünglichkeit wieder zum Leuchten: Emmanuelle heißt Gott mit uns.

Eine respektable Laufbahn

Sie ist eine Aussteigerin besonderer Art. Am 16. Mai 1908 wird sie in grossbürgerlichem Hause in Brüssel als Tochter eines französischen Vaters und einer belgischen Mutter geboren. Im problemlosen Glaubensklima der praktizierenden höheren Schichten wächst sie heran und nutzt die Möglichkeiten der Bildung und Lebensfreude, die ihr Milieu ihr offenhält. Doch etwas packt sie, das über die Träume junger Mädchen von Lindberg-Hüten und tangotanzenden Kavalieren hinausgeht, ein unbändiger Drang nach innerer Freiheit und wirklichem Leben.

Der Eintritt in die Schwesternkongregation Notre-Dame de Sion, deren Wirkfeld besonders im Heiligen Lande und im Vorderen Orient liegt, ist bereits ein Schritt in dieser Richtung: Auf eine Wirksamkeit in fremden Kulturen und Lebensbereichen hin. An das Noviziat in Paris 1929/31 schliessen sich viele Jahre des Unterrichts in Primarschulen in Istanbul an. Nebenher erwirbt sie ein Diplom in Philosophie an der dortigen Universität und kann zwischendurch an der Sorbonne in Paris Griechisch und Latein belegen. 1954 bis 1958 erteilt sie Unterricht an einer Mittelschule in Tunis, 1958 bis 1963 lehrt sie in Istanbul französische Literatur, dann in Alexandrien (Ägypten) Philosophie. Zuletzt, 1966 bis 1971, ist sie Direktorin einer öffentlichen Schule, in der kein Schulgeld zu bezahlen war.

Einstieg in die Mülldeponien

Was bewegt diese klassische Humanistin, als 63jährige aus der Ausbildung von Eliten auszusteigen und sich mit der Kraft einer Löwin für Menschen einzusetzen, die als Abschaum der Gesellschaft gelten?

Es ist ihr Geheimnis, warum sie sich den Müll-Menschen von Kairo zuwendet, jenen Unglückseligen, die den Abfall der Grossstadt einsammeln, die brauchbaren Reste aussortieren und aus dem Abfall ihren Lebensunterhalt fristen. Das geschieht inmitten unbeschreiblicher hygienischer Zustände, Gestank und Bergen von verrottendem Müll; von Ratten geplagt, 12 000 bis 14 000 Menschen, je nach Grösse der Bidonville, mit Haustieren zusammengepfercht und mit einer Kindersterblichkeit von 40 Prozent. Innerhalb eines Jahrzehnts gelingt es ihr, mit Hilfe von Freunden aus Europa und den inzwischen wachgerüttelten ägyptischen Stellen elementare Änderungen einzuführen: Kindergarten, Arztlokal, Strom und Wasser, Alphabetisierung. Ihr letzter Plan: Die Blechhütten – 3 × 3 Meter – zu ersetzen durch einfache Häuschen aus Ziegeln. Einen sauberen Raum zu schaffen für die Familie, einen Raum für die Tiere, einen Raum für die Müllsortierung. Und dann: eine Fabrik einzurichten, in der die unübersehbaren Berge von Restmüll zu Humus und Dünger verarbeitet werden.

Wandlungsfähigkeit einer 63jährigen

Wie bleibt ein Mensch so wandlungsfähig, dass er mit 63 Jahren ein neues Leben beginnen und dazu noch das Leben anderer Menschen verwandeln kann? «Ich habe etwas riskiert», sagt sie, «und ich bin überglücklich, dass ich das riskiert habe.»

Erste Grundbedingung ist der Respekt vor dem andern in seinem Anderssein. Nicht fragen nach Religion, sozialem Status, intellektueller Begabung. Mit ihrer klassischen Bildung kam diese Frau sich nicht «gebildeter» vor als Ungebildete. Der einzige Unterschied, der Vorsprung der Europäerin, sind ihre Erziehung und Ausbildung. Das ist nicht ihr Verdienst, sondern fiel ihr auf Grund der sozialen Positionen der Eltern zu. Pascal, auf den sie sich gerne beruft, hat einmal gesagt, in jedem Leben gibt es genügend Licht, um glauben zu können, aber auch genügend Dunkel, um sich dem Glauben zu versagen.

Genügend Licht zum Glauben

In der Begegnung mit den Müll-Menschen hat Sœur Emmanuelle das Evangelium mit neuen Augen sehen gelernt. So viele Jahre hatte sie gebraucht – so viele Gebete, tägliche Eucharistie und soviel durchgehaltene Treue im Ordensleben. Aber erst in der Begegnung mit den Lumpensammlern ging ihr jenseits der Formeln und Regeln auf, was Christsein bedeutet. Etwas, das auch die philosophischen Systeme nicht geben konnten, die sie studiert hatte. Diese waren dem Trend der Mode unterworfen, waren auswechselbar wie anderes. Auch die Buchstabentreue gegenüber der Ordensregel hat diese Einsicht nicht vermittelt.

Die Ärmsten der Armen, in deren Gesichtern die Hoffnung leuchtete, die aus brüderlicher Gesinnung die letzte Schale Wasser mit ihr teilten und die ausgestreckte Hand nicht ausschlugen, weckten sie aus dem Schlafe auf. Die Armen beschenkten sie königlich. So konnte sie ihnen christliche Gewissheit glaubwürdig zurückschenken. Wenn sie sich neben eine Mutter setzt, die ihr Kind verloren hat, und ihr sagt: «Dein Kind lebt nicht mehr auf dieser Welt, aber seine Seele ist bei Gott», dann klingt das in einer anderen Dimension vertrauenerweckender als der papierene Trost, den Pfarrer und Theologen sozusagen von Amtes wegen spenden. Ihr Lebensmotto hat sie auf die schlichte Formel gebracht: «Aime, partage, chante! – Liebe, teile, singe!»

Vgl. Mutter Emanuela von Kairo: Der Ort, zu dem mich Gott geführt. Mein Leben mit den Menschen im Müll. Freiburg/Brg. 1980.

Unerschrockene Menschlichkeit

Madeleine Barot
(geb. 1909)

Drei Lebenskreise

Man muss nur einmal ihre blitzenden Augen gesehen haben, um sich zu vergewissern, welche zupackende Lebendigkeit in dieser rundlichen Person steckt: Wachheit, Geist, Zielstrebigkeit, Energie und Eingehen auf den andern. Madeleine Barot gehört zu den nicht so zahlreichen Menschen, die es verstehen, Gottes Anruf in ihrer Zeit wahrzunehmen: Früherem und Gewesenem nicht nachtrauernd, sondern gleichsam wie eine Rakete jeweils zu neuer, hoffnungsvoller Tätigkeit aufsteigend. Ihr Leben bewegt sich in drei Kreisen, die miteinander in Verbindung stehen: Wissenschaft, Dienst am Nächsten und – als Synthese – auf christliches Handeln ausgerichtete Reflexion.

Von der Archäologie in den Untergrund

Madeleine – 1909 in Châteauroux in der Touraine geboren – stammt aus hugenottischem Elternhaus. Intellektuelle Bildung galt dort mehr als die durch manche Feuerprobe erhärtete religiöse Tradition der Familie. Den Weg zu einem persönlichen Glauben fand sie nicht in den langweiligen Bibelstunden, sondern in den Diskussionsgruppen des christlichen Studentenbundes. Gerne hätte sie das Studium der klassischen Altertumswissenschaft und der Archäologie an der Sorbonne aufgegeben, um Gemeindehelferin zu werden. Doch die Eltern, die einer Frau im kirchlichen Dienst keine Chance gaben, bestanden darauf, dass die hochbegabte Tochter ihr Studium weiterführte. Das Abschlussexamen an der Universität – römisch-griechische Kulturen und Sprachen waren ihr Fachgebiet – fiel so glänzend aus, dass sie auf Anhieb Bibliothekarin am Französischen Archäologischen Institut in Rom wurde: Für eine Frau, noch dazu eine Protestantin, eigentlich ein Volltreffer!

Doch die glänzende Karriere, die man ihr voraussagte, sollte ihren Glanz nicht durch gelehrte Forschung, sondern durch unerschrockene Menschlichkeit erhalten. Nach dem Einfall der Deutschen in Frankreich im Mai 1940 kehrt sie aus Italien in ihre

Heimat zurück. Aus dem sicheren Staatsdienst tritt sie in den weniger gesicherten Dienst protestantischer Hilfsorganisationen für Flüchtlinge über.

Hilfsaktion der Cimade

Nach der Evakuierung der Flüchtlinge aus Elsass-Lothringen hatte sich ein Komitee für die Unterstützung dieser Glaubensbrüder zusammengetan. Madeleine Barot wird zur Sekretärin und Koordinatorin dieser Organisation – der nachmals berühmten «Cimade» – berufen. Sie gibt ihr eine neue Zielsetzung: Sich der nach Frankreich geflüchteten oder von den Deutschen dorthin abgeschobenen Flüchtlinge anzunehmen. Die «Cimade» spezialisiert sich sozusagen auf jüdische Mitbürger. Ihre Aktivitäten beginnen im Lager von Gurs bei Pau, nahe an der spanischen Grenze. Hier sind Kommunisten, Republikaner und Juden miteinander eingepfercht. Es gilt, Hilfsmittel zu erschliessen, sie zu verteilen, ohne Aufsehen zu erregen, und immer die Häscher im Auge zu behalten.

Eine Zeitlang lebt sie direkt in einem solchen Lager, dann taucht sie unter, verschafft den Bedrängten falsche Pässe, organisiert Schleichwege über die schweizerische und die spanische Grenze, riskiert auch selber mal schwarz einen Abstecher nach Genf und nach Bern, um Schweizer Freunde und Helfer zu mobilisieren.

Mit Willem Visser't Hooft und Adolf Freudenberger, einem deutschen Pfarrer, der beim Ökumenischen Rat der Kirchen beschäftigt war, arbeitete sie intensiv zusammen. Visser't Hooft erinnerte sich 1965 an einen solchen heimlichen Grenzgang: «Madeleine trug noch alle Spuren einer irgendwo verbrachten Nacht an sich; aber damals, als es nur um die Rettung von Menschenleben unter Hintansetzung persönlicher Bedenken ging, erschien mir ihr Aufzug wie ein Ehrenkleid.» Die Cimade hat vielen Hunderten von Menschen das Leben gerettet. Madeleine, die ihr eigenes Leben so oft aufs Spiel gesetzt hatte, hätte nach dem Krieg zur Wissenschaft zurückkehren können. Das tat sie nicht. Sie leistete nun denjenigen Hilfe, die mit dem Vichy-Regime und den deutschen Besetzern zusammengearbeitet hatten und zur Rechenschaft gezogen wurden. Ein Christ, der etwas von Feindesliebe gehört hat, kann die Motive dieses Einsatzes verstehen.

Kirche und Frau

So kommt es für sie auch nicht in Frage, sich auf ihren Lorbeeren auszuruhen. Zunächst übernimmt sie die Leitung der Jugendabteilung des Ökumenischen Rates. 1954 wird sie in Genf Leiterin des «Referates für Stellung und Dienst der Frau». Kurze Zeit darauf hiess es bereits anders: «Referat für Zusammenarbeit von Mann und Frau in Kirche, Familie und Gesellschaft.» Hinter dieser Namensänderung verbirgt sich ein neues Konzept: Los von einem «Frauen-Winkel» im Weltrat der Kirchen zur Konzeption einer Abteilung, die über den Status von Frauen und die Zusammenarbeit von Frauen und Männern in Kirche und Gesellschaft nachdenkt. Die Kirche habe die Aufgabe, der Gesellschaft zu sagen, wie sie über die Stellung der Frau denkt.

Das bringt sie in Konflikt mit der herkömmlichen Auffassung der Frauenorganisationen und vereinzelt mit patriarchalisch denkenden Männern. Die Entwicklung hat ihrer Vision, die sich besonders auf die Frauenbefreiung in Afrika und Asien auswirkte, recht gegeben. Nüchtern und realistisch bleibt die ausgebildete Historikerin bei ihrem bis heute intensiven Einsatz: «Ein Komplex dieses Ausmaßes heilt nicht in mehreren Jahrhunderten. Vor allem nicht in einer Welt, in der die Männer imstande sind, auf irgendeinen Instinkt, eine Ethik, Gesetze, ihre Institutionen aufzubauen und das Ganze zu krönen mit der Überschrift: Göttliche Schöpfungsordnung. Um solche Komplexe zu heilen, braucht es einen Heiland, und um solche Verfestigungen aufzulösen, braucht es den Sohn Gottes selber.»

Vgl. Anne Marie Schäfer und Philippe Maury: Madeleine Barot. Die Gründung von CIMADE. In: Ökumenische Profile. Brückenbauer der einen Kirche. Hrsg. Günter Gloede. Bd. II. Stuttgart 1963, Seite 389–394.

Verkündigung als Auftrag

Jacques Loew
(geb. 1909)

Es ist bekannt, dass ein römisches Dekret im Jahre 1954 den Arbeiterpriestern gebot, ihre Arbeit in Fabriken und Industrien niederzulegen. Bekannt ist auch, dass damals eine Reihe von Priestern ihr Amt aufgaben, andere in veränderter Form ihren Einsatz weiterführten. Kaum bekannt jedoch ist, dass der erste Arbeiterpriester Frankreichs, der 1941 als Docker im Hafen von Marseille begonnen hatte, das Dilemma zwischen kirchlicher Loyalität und Treue zur Arbeiterwelt in vertiefter geistlicher Haltung überwand. Er wurde nicht nur zu einem grossen geistlichen Schriftsteller, sondern zum Anreger und Begründer bleibender Initiativen moderner Glaubensverkündung.

Vom Atheismus zum Glauben

Jacques ist der Sohn eines gutsituierten Arztes aus Clermont-Ferrand. Beide Eltern sind ungläubig. Katholisch getauft, aus Reaktion gegen die klerikale Kirche in die protestantische Sonntagsschule zum Unterricht geschickt, wird der Heranwachsende zum überzeugten Atheisten. Die katholische Kirche ist für ihn der Inbegriff der Rückständigkeit. Mit 21 Jahren schliesst er sein juristisches Studium ab und arbeitet als Strafverteidiger vor Gericht in Nizza. 1932 muss er in Leysin eine Lungentuberkulose ausheilen. Hier findet er in der Meditation über die Schönheit der Schöpfung Gottes Jesus Christus und seine Frohbotschaft. Bei den Kartäusern in der Valsainte entdeckt er das Geheimnis der Eucharistie, 1934 tritt er in den Dominikanerorden ein und wird fünf Jahre später zum Priester geweiht.

Zwei Pole als Fundament

Das Auge des Ordensgeistlichen richtet sich nicht auf die herkömmlichen Formen der Seelsorge, sondern auf die Glaubenslosigkeit in der modernen Industrie- und Arbeitswelt. Es wird die grosse Leidenschaft des ehemaligen Atheisten sein, immer wieder neue Wege zu ihrer Überwindung zu suchen und zu finden. Zwei

Grundhaltungen bestimmen ihn dabei: Zunächst, nicht ins Blaue loszuziehen und zu predigen, sondern das Milieu, das die Verkündigung erreichen soll, genau zu rekognoszieren und zu analysieren. Genauso wichtig und unabdingbar ist ihm ein Zweites: In allem den Vorrang der Verkündung selber zu geben, das heisst der befreienden Botschaft von Jesus Christus als dem Retter des ganzen Menschen.

Erster Arbeiterpriester

So gehört Jacques Loew zur ersten Mannschaft der Equipe «Économie et humanisme», die unter der Leitung von P. Lebret, einem Experten in Nationalökonomie, strukturelle Fragen der Arbeiterwelt angeht. Am 1. Januar 1942 bezieht der Jurist und Ordensmann sein erstes Salär als Docker: Er gehört zu jener Gruppe von Priestern, deren Experiment Gilbert Cesbron auf den allzu plakativen Romantitel gebracht hat: «Die Heiligen gehen in die Hölle». Zwei Jahre später bekommen die Docker zum ersten Male einen festen Grundlohn. Und doch weigert sich Loew, seinen Einsatz in gewerkschaftlichen Aktivitäten aufgehen zu lassen: Aus Treue zum Evangelium lehnt er es zum Beispiel 1948 ab, als Mitglied einer Gewerkschaftsdelegation nach Moskau zu reisen. Von den drei Möglichkeiten des Einsatzes – Zeugnis innerhalb einer Gemeinschaft, vermehrte Arbeit im Quartier und gewerkschaftliche Tätigkeit – wählt Jacques die erste. So trifft ihn der römische Bescheid von 1953/54 zwar sehr hart. Aber die Basisgemeinschaften, deren Mitglied er ist, geben ihm menschliche Geborgenheit und

Rückhalt, um die Spannungen in der Kirche auszuhalten.

Schule des Glaubens

Er bleibt auf der Fährte, zunächst in Frankreich, dann in Brasilien, hält Exerzitien, animiert kleinere Gruppen von Christen zu einem lebendigen Glaubenszeugnis und schenkt die Grunderfahrung des Reichtums christlichen Glaubens in zahlreichen Büchern und Publikationen weiter. 1969 lässt er sich in Freiburg i.Üe. nieder und begründet hier die École de la foi (Schule des Glaubens). In ihr erhalten Menschen aller Berufsschichten und Lebensformen, Verheiratete und Unverheiratete, eine Ausbildung, die sie befähigt, in einer säkularisierten Welt Zeichen der Hoffnung aus dem Glauben zu setzen und in diesem Zeugnis-Geben auszuharren. Jacques Loew sieht die Frage der Verkündigung heute so: «Was dem Künder des Glaubens heute fehlt, um seinen Auftrag zu erfüllen, das ist nicht so sehr der Kontakt mit der Umwelt, sondern der Enthusiasmus der Gewissheit. Es ist die Überzeugung, dass Gott alles vermag und dass er von uns nur etwas Glauben erwartet. Glauben von der Grösse eines Senfkornes, um die Welt mit seiner Gegenwart zu umspannen. Freilich bricht dieser Glaube nicht auf einmal urplötzlich auf. Ich bin überzeugt, dass der Heilige von morgen – derjenige, den wir heute in einem notwendigerweise langsamen Prozess vorbereiten – der Mensch sein wird, der dem Absolutheitsanspruch Gottes gerecht wird, für den der Satz ‹das Heil durch Jesus Christus› keine Lehrbuchformel ist, sondern der

Schrei des Menschen, der in einer Katastrophensituation in diejenige Richtung geht, von der er wirklich das Leben erhofft.»

Jacques Loew hat sich 1982 in die Zisterzienserabtei Citeaux zurückgezogen, um sich hier im Gebet und in der Meditation auf die Begegnung mit demjenigen vorzubereiten, der ihm die Entdeckung des wahren Lebens geschenkt hat.

Vgl. Marie-Paule Préat: Jacques Loew ou le défi évangélique. Paris 1974; Jacques Loew: Mon Dieu dont je suis sûr. Verlag Fayard-Mame, Paris 1983.

Meister geistlichen Lebens

Carlo Carretto
(geb. 1910)

Italienische Frömmigkeit

Mit der Kenntnis italienischer Frömmigkeit ist es bei uns nicht weit her. Auch wenn wir die extravertierten Formen religiöser Äusserung, wie sie in Italien bei Prozessionen, Patronatsfesten und im Brauchtum begegnen, nicht gerade als Mummenschanz abtun wie Heinrich Heine, so verbergen wir keineswegs unser nordländisches Überlegenheitsbewusstsein gegenüber unseren mindern italienischen Brüdern und Schwestern. Dass es auch im südlichen Italien Menschen gibt, die die Werte ihrer legitimen Tradition von Überwucherungen befreien und das christliche Zeugnis der Welt von heute einsichtig zu machen versuchen, kommt nur wenigen Nordländern in den Sinn.

Von der Katholischen Aktion zur Meditation

Ein Meister geistlichen Lebens, der auch uns etwas mitteilen kann, ist Carlo Carretto. In Alessandria (Piemont) geboren, wuchs er in Turin auf, wohin sein Vater als Eisenbahner versetzt worden war. Er hat noch im Elternhaus atmosphärisch jene natürliche Gottesbeziehung einatmen können, wie seine Vorfahren – schlichtes Landvolk der piemontesischen Berge – sie in ungebrochener Gläubigkeit von Generation zu Generation weitergegeben hatten. Aber in der Industriestadt Turin blies ein schärferer Wind. Glaubens- und Kirchenkrisen überstand er, weil er Pfarrer und Kirche trotz ihres Legalismus (Gesetzeschristentum) positiv erlebte. Nach seiner Tätigkeit als Schullehrer – 1936 promovierte er in Philosophie – vermittelte ihm sein Einsatz in der Katholischen Aktion (1936–1952) ein bleibendes Gemeinschaftserlebnis. Es befähigte ihn, freiwillig als Laie sich für die zölibatäre Lebensform zu entscheiden. Zuletzt war er der Leiter der Jugendsektion der Katholischen Aktion Italiens. 1954 trat er der Kongregation der Kleinen Brüder von Charles de Foucauld bei, verbrachte zehn Jahre in der Sahara in Gebet und Meditation – seinen Lebensunterhalt verdiente er als Meteorologe – und gründete nach seiner Rückkehr nach Italien in Spello am Abhang des Monte Subasio ein Meditationszentrum.

Für die Basisgemeinschaft

Carretto gelang es, nicht an eine östliche, sondern an die meditative Tradition des Christentums anzuknüpfen und diese auch für Laien zugänglich zu machen. Er ist keiner, der alles Bestehende im kirchlichen Leben auf dem Scheiterhaufen verbrennen möchte. Ihm geht es vielmehr darum, die kühle Anonymität der Grosskirchen aufzubrechen, sie von innen her durch neue Initiativen zu verlebendigen. In diesen Initiativen unserer Zeit – Focolare, Schönstatt, Arche, Cultura y Fe (Brasilien), Equipes Notre-Dame (Frankreich), Oasi (Italien), Communione e liberazione (1954) usw. – sieht er das Wehen von Gottes lebendigmachendem Geist heute; in der gelegentlich durchscheinenden Versuchung dieser Gemeinschaften zu Sektarismus und Abschliessung allerdings Auswirkungen des Gottes Geist widerstreitenden Menschengeistes. Er weiss um ihre Einseitigkeiten. Doch gibt es nichts Lebendiges ohne Einseitigkeiten. Sie können ihn deshalb nicht irremachen an diesen Gemeinschaften; noch viel weniger das, was über sie kolportiert wird. Im Grunde setzt Carretto sich für die Basisgemeinschaft ein, für lebendige Kerngruppen von Christen, die eine Pfarrei beleben und die Christen aus ihrer Anonymität und aus dem Sonntagschristentum herausführen.

Die wahre Sünde

Die Macht des Bösen in dieser Welt ist für ihn eine Wirklichkeit – Satan keine blosse Chiffre – und die Sünde ebenso real. Allerdings hat die wirkliche Sünde des Menschen wenig zu tun mit dem Legalismus, der Gesetzesfrömmigkeit, auf die hin die Christen gerne dressiert wurden. Die wahre Sünde besteht für ihn in der Zurückweisung des Glaubens, der Hoffnung und der Liebe, also das Nicht-mehr-Glauben, das Nicht-mehr-Hoffen, das Nicht-mehr-Lieben. Der Zufall existiert für ihn nicht. Gott kann im persönlichen Leben erfahren werden; wer sich ihm vertrauend überlässt, begegnet ihm, wird von ihm heimgesucht.

Für die Priesterweihe Verheirateter

Der Mann, der nicht im Zugzwang stand, sich für den Zölibat entscheiden zu müssen, weil er nicht Priester wurde und sich dennoch für diese Lebensform entschied, findet deutliche Worte, um ein spezifisch katholisches Tabu anzuprangern: die Bindung des Priestertums an die zölibatäre Lebensform. Gegen diese Bastion kirchlichen Legalismus spricht alles: das Zeugnis der Bibel, die Erfahrungen der letzten Jahrzehnte, die Lebensschicksale vieler Priester, die sich ihm anvertraut haben. Das Lamentieren über das Fehlen von Berufenen hält er für eine hohle Redensart. Berufene wären da; Menschen, die sich mit ihrer Familie, der menschlichen Urgemeinschaft, für das Reich Gottes zur Verfügung stellen würden. Doch um des Gesetzes willen weist man sie zurück und preist mit schönen Redensarten eine Lebensform, die durchaus ihren unverlierbaren Ort in der Kirche hat, aber durch das Gesetz zur Karikatur ihres Zeichencharakters wird.

Nicht schweigen

Diesen Feststellungen eines Meisters geistlichen Lebens ist der Sache nach nichts hinzuzufügen. Die nach dem Konzil sich leerenden italienischen Priesterseminare haben eine Lektion vermittelt, die nicht begriffen wurde. Lieber wird Nicht-Feier der Eucharistie in Kauf genommen, als dass fähige, verheiratete Männer zur Priesterweihe zugelassen werden. Carretto rebelliert nicht, aber er schweigt auch nicht wie viele Bischöfe, die es nicht über ihr ängstliches Herz bringen, dem Hl. Vater in liebender Deutlichkeit zu sagen, dass das polnische Kirchenmodell, von dem zwar vieles zu lernen ist, kein globales Heilmittel für alle Nöte der Kirche in anderen Ländern und Kontinenten darstellt.

Vgl. Carlo Carretto: Ich habe gesucht und gefunden. Freiburg/Brg. [3]1986.

Strafsache: Polenfreundlichkeit

Josef Ströder
(geb. 1912)

Es gibt ein Wort von Shakespeare, das sich sinngemäss so formulieren lässt: «Jeder Mensch hat einmal die Chance, sich aus Mittelmässigkeit und Herdengeist herauszuwagen. Wenn er sie verpasst, verläuft sein Leben ohne Höhepunkte in schnöder Anpassung.»

Für Josef Ströder, den frisch habilitierten Dozenten in der Kinderheilkunde in Düsseldorf, schlägt diese Entscheidungsstunde im März 1942, als er die Leitung der Kinderklinik Krakau kommissarisch übernehmen soll. Sein Vorgänger war mit 183 anderen Akademikern nach einer Versammlung verhaftet und ins KZ gesteckt worden. Welchen Kurs wird der nach Krakau verschlagene junge Kinderarzt befolgen? Wird er zum Komplizen der braunen Machthaber in der Versklavung des polnischen Volkes oder behält bei ihm Menschlichkeit die Oberhand?

Wider den Trend

Josef Ströder ist geboren im damals winzigen Dörfchen Mömerzheim bei Bonn – sieben Häuser und acht Backöfen – in einer Arbeiter- und Bauernfamilie. Es fehlte das Geld, um das Leben «rheinisch leicht» zu nehmen. Dass er studieren konnte, hat er als Privileg angesehen; für intellektuelle Arroganz, die ihm als Student und später als Professor an vielen Universitäten bei Lehrenden und Dozierenden als «bedrückend» begegnete, fehlten ihm die Voraussetzungen. Ebenso jene zum Karrieremacher, das heisst zu dem, der durch Anpassung vor dem Götzen Baal sein Knie beugt. Er geht nicht mit der neuen Zeit, auf die so viele im Jahre 1933 setzten.

Zwar schloss er das Studium der Medizin ohne Schwierigkeit ab, ebenso die Spezialisierung auf Kinderheilkunde und die Habilitation (1941) an der Kinderklinik der Medizinischen Akademie Düsseldorf. Dass der junge Arzt sich katholisch trauen und seine Kinder taufen liess, zeugte nicht für besonderes Karrierebewusstsein. Das hätte ein auf Fortkommen bedachter junger Mann nicht tun dürfen. Und dass er das nicht tat, worauf ging das zurück?

Sicher nicht auf das Beispiel der katholischen Studentenverbindung, deren Mitglied er war und deren Mangel an geistig-religiöser Abwehrsubstanz in den entscheidenden Jahren 1933/34 ihn schmerzte. Auch nicht auf das Gros der Professoren, die überall triftige Gründe zum Anpassen an die neue Situation suchten und fanden, während sie sich in der Zeit der Weimarer Republik (1919 bis 1933) in ihren elfenbeinernen Türmen verschanzt hatten. Eher auf unerschrockene Persönlichkeiten unter seinen akademischen Lehrern, die sich instinktiv vom verbrecherischen System distanzierten und als aufrechte Christen wie Pfeiler im Strom dastanden.

Pfeiler menschlichen Anstands

Ein solcher Pfeiler menschlicher Anständigkeit wird Dr. Josef Ströder, als er, bereits mit einem Kriegsgerichtsverfahren bedroht, zur Leitung der Kinderklinik nach Krakau versetzt wird: Dort werden deutsche Kinder getrennt behandelt von ausgemergelt unterernährten polnischen; berufliche Kontakte mit den polnischen Ärzten aufs strikte Minimum eingeengt; gesellschaftliche Beziehungen sind verpönt und strafbar. Als er sich seinem Vorgesetzten vorstellt, sagt dieser:

«Wir haben nur ein Interesse: Das fremde Volkstum hier so schnell als möglich auszurotten. Je mehr polnische Kinder Sie an einem Tage umbringen, desto schneller erhalten Sie das Kriegsverdienstkreuz.»

Die zeitgemäße Interpretation des Hippokratischen Eides! Tatsächlich meinten bei seinem ersten Eingreifen die polnischen Ärzte und das Personal, als er einem Säugling eine Herzspritze verabreichte – Dr. Ströder war gerade in dem Augenblick in den Saal gekommen, als ein Kind einen vermeintlich letzten Seufzer tat –, er wolle ihn töten. Im Gegenteil. Dr. Ströder tat alles, um sich der Unmenschlichkeit zu widersetzen. Ungeachtet aller Vorschriften und Strafdrohungen behandelte er auch Polen. Die Ernennung zum Direktor des Krankenhauses – ebenso das ihm angebotene Gehalt – schlägt er aus. Er will nur kommissarischer Leiter sein, weil sein Vorgänger auf unrechtmässige Weise aus seiner Stellung entlassen worden war.

Leben auf dem Pulverfass

Diese Entscheidung des deutschen Arztes war nicht durch eine besondere Sympathie für Polen vorprogrammiert. Dr. Ströder hatte die Standard-Requisiten über Polen mitgebracht, die bis vor kurzem auch unser Polenbild bestimmten: «Das kalte Land, in dem die Wölfe sich gute Nacht sagen», «polnische Wirtschaft», die Polen «streng katholisch und ausgesprochene Nationalisten», «Krakau, die schönste und kulturreichste Stadt».

Allmählich kommt er von diesen Klischeevorstellungen los. Er lernt soviel Polnisch, dass er sich mit seinen kleinen polnischen Patienten, darunter befinden sich auch unter Lebensgefahr eingeschmuggelte jüdische Kinder, verständigen kann. Er versteht es, in kürzester Zeit das Vertrauen der polnischen Kollegen zu gewinnen. Er lässt keinen Zweifel an seiner wahren

Gesinnung aufkommen. Es ist ein Leben wie auf einem Pulverfass, er ist ständiger Bedrohung durch Spitzel und Kollaborateure, rücksichtslosen Kommandos der SS, aber auch Missverständnissen der polnischen Widerstandsbewegung ausgesetzt. Unter dem Amtszimmer des Arztes haben diese ein Waffenarsenal angelegt. So sehr gewinnt er das Vertrauen der polnischen Kollegen, dass diese ihn darum bitten, seinen menschlichen Umgang mit Polen in der Öffentlichkeit zu verbergen, aus Angst, er würde verhaftet und es könne ein SS-Vertrauensmann seine Nachfolge im Spital antreten. Diese Befürchtung war nicht unbegründet, denn es wurden Anklagepunkte gesammelt, um den deutschen Arzt von der Stelle zu verjagen und ihm den Prozess zu machen. Dr. Ströder entgeht ihm mit knapper Not, weil ein human gesinnter Vorgesetzter den Aufpasser nach Berlin abkommandierte.

Verdiente Ehrung

Nach dem Krieg wurde Dr. Ströder Ordinarius für Kinderheilkunde an der Universität Würzburg und Direktor der Universitäts-Kinderklinik. Von allen Ehrungen, die dem fachlich international anerkannten Pädiater zufielen, war diejenige der Verleihung des Ehrendoktorats der Medizinischen Akademie Nikolaus Kopernikus der Jagiellonen-Universität zu Krakau für den ersten Deutschen seit 600 Jahren diejenige, die ihm am meisten Freude machte. Die Weichen dazu wurden in jenen Märztagen 1942 gestellt, als der junge Arzt zu entscheiden hatte, wem er Priorität geben wolle: seinem Gewissen als Christ oder den Lockungen und Drohungen des Systems.

Vgl. Josef Ströder: Angeklagt wegen Polenfreundschaft. Als Kinderarzt im besetzten Krakau. Herderbücherei Nr. 1185, Freiburg/Brg. 1985.

Von der Belastbarkeit des Bischofsamtes

Julius Döpfner
(1913–1976)

Neulich sagte ein Freund, er staune, welche Belastbarkeit ein Staatsmann wie Mitterrand oder Reagan haben müsse, um im vielfältigen Druck, der auf ihn ausgeübt wird, überleben zu können. Weil vorher Papst und Bischöfe heftig kritisiert worden waren, wies ich darauf hin, die gleiche Überlegung gelte auch für Papst und Bischöfe in einer polarisierten Kirche; ihre ärgsten Kritiker sollten wenigstens dieses an ihnen anerkennen.

Einer, dem diese Belastung stärker zusetzte, als nach aussen durchschien, war Julius Kardinal Döpfner, Erzbischof von München-Freising, wohl der populärste katholische Kirchenführer im Deutschland der letzten vierzig Jahre.

Der jüngste Bischof

Eine geistliche Blitzkarriere stand dem in sehr bescheidenen Verhältnissen in Hausen bei Bad Kissingen in Unterfranken Geborenen bevor. Die Voraussetzungen waren: Katholisches Elternhaus, erlebter unsentimentaler Glaube in der Familie, glänzende Begabung (bestes Abitur seines Jahrgangs), rasche Auffassungsgabe und Durchsetzungsvermögen. 1939 wurde er in Rom – er war Schüler des Collegium Germanicum in Rom – zum Priester geweiht. Eine normale Vikariatszeit hat er nicht gehabt. Seine Rückkehr nach Deutschland fiel in die Zeit katastrophaler Kriegsverhältnisse. 1945 wurde er Subregens am Priesterseminar in Würzburg und hatte für die Theologiestudenten – meist Heimkehrer aus Kriegsgefangenenlagern – zu sorgen. Drei Jahre später berief Pius XII. den 35jährigen zum Bischof von Würzburg. Wiederaufbauarbeit im direkten und im übertragenen Sinn des Wortes war das Tagwerk des damals jüngsten Bischofs der Welt: Wiederinstandsetzung der zerstörten Kirchen und Bau von neuen, Förderung des sozialen Wohnungsbaus (Integration von Flüchtlingen), Ausbau einer zeitgemässen kirchlichen Erwachsenenbildung. 1957 berief ihn der Papst nach Berlin in eine völlig andere kirchlich-politische Situation: Diaspora, politische Spannungen, ein Grossteil der Diözese in einem aggressiv atheistischen System (DDR). Bereits 1958 wurde ihm die Einreise in die DDR verweigert; nur noch über den Rundfunk konnte er Priester und Gläubige seiner Diözese im anderen Staat erreichen.

Alpinismus in Kirche und Welt

Nach drei Jahren Berlin wird dem 1958 zum Kardinal Berufenen ein neuer Aufgabenbereich zugewiesen: Das Erzbistum München-Freising (3. Juli 1961). In München fühlte sich der gebürtige Franke, der eine besondere Vorliebe für die Bergwelt hatte und in seiner Freizeit dem Alpinismus auch in der Schweiz frönte, bald zu Hause. Es waren die Jahre des Zweiten Vatikanischen Konzils, in denen, neben den Hirtensorgen für die eigene Diözese, stärker weltkirchliche Verantwortung zu tragen war. Döpfner war darauf bedacht, dass den Konzilsvätern der notwendige Spielraum für freie Entscheidungen eingeräumt wurde. Als Mitglied der Koordinierungskommission, später als Moderator, nahm er eine Schlüsselposition auf dem Konzil ein.

Belastungsproben

An Belastungsproben fehlte es während und nach dem Konzil nicht. Döpfner war Vizepräsident der «Kommission für die Studien von Bevölkerung, Familie und Geburtenkontrolle». Er vertrat das Mehrheitsvotum dieser Kommission, das Papst Paul VI. sich in der Enzyklika «Humanae Vitae» 1968 nicht zu eigen machte. Es entstand eine kritische pastorale Situation, zu deren Beruhigung die Königsteiner Erklärung der Deutschen Bischofskonferenz aus dem Jahr 1968 viel beitrug, indem sie auf den Primat des Gewissens und den nicht-unfehlbaren Charakter des päpstlichen Dokumentes hinwies. Diese Erklärung kam nur «durch den ganz persönlichen und entschiedenen Einsatz Kardinal Döpfners zustande» (Karl Forster). Sie traf die gesellschaftliche Situation, ohne die Einheit mit dem Papst zu gefährden.

«Wir verkünden den Gekreuzigten»

Die Zeit konziliarer Euphorie währte nicht lange. Bald brachen die seit vielen Jahrzehnten aufgestauten Probleme mit ungeheurer Vehemenz auf und polarisierten Priester und Gläubige:

Zunehmender Priestermangel, Laisierungsgesuche von Priestern, reformerische und konservative Rechthabereien, zwischen denen der Bischof vermitteln musste. Daneben hiess es auch die positiven Impulse verwirklichen, die das Konzil in die Wege geleitet hatte: Einsetzung von Pastoralassistenten, vermehrte Heranziehung von Laien in die kirchliche Mitverantwortung, Vorbereitung und Durchführung der Synode der deutschen Bistümer 1971 bis 1976. Zu den bittersten Eindrücken seiner letzten Wochen gehörten die Besetzung seiner Kathedrale, der Münchner Frauenkirche, durch die «Integrierte Gemeinde» und die Anklagen der Anhänger der sogenannten tridentinischen Messe gegen das neue Messbuch. Wen wundert es, dass in den letzten Julitagen des Jahres 1976 ein Herzversagen seinem randvoll gefüllten Leben ein Ende setzte. Ihn selber, den nach aussen soviel Vitalität Verströmenden, verwunderte es wohl am wenigsten. Denn er hatte sich in Erinnerung an den Kreuzweg, der an seinem Elternhaus vorbei zu dem auf der Höhe gelegenen Dorffriedhof führte, als bischöflichen Wahlspruch das Motto gewählt: «Praedicamus Crucifixum»; zu deutsch: «Wir aber verkünden Christus, den Gekreuzigten» (1 Kor 1,22).

Vgl. Karl Forster: Julius Döpfner (1913–1976). In: Zeitgeschichte in Lebensbildern (Herausgeber J. Aretz, R. Morsey, A. Rauscher). Bd. 2. Mainz 1979.

Italienischer Katholizismus radikal

Giuseppe Dossetti
(geb. 1913)

Viele Christen der nördlichen Länder, auch Deutsche, Österreicher und Schweizer beider Konfessionen, sind voller Vorurteile gegenüber südländischer Frömmigkeit. Es sind recht oberflächliche Impressionen, die Touristen von ihren Italienfahrten mitgebracht haben. Oder es sind Eindrücke, die sich im Umgang mit Gastarbeitern verfestigt haben: die Frauen meist abergläubisch und ritualistisch, die Männer im Schnitt antiklerikal bis antikirchlich. Dass es daneben noch ein anderes Italien gibt, in dem ein biblischer Glaube lebendig ist, die Riten und Traditionen von innen her gefüllt sind, wird meist nicht bewusst.

Ein Mann, der die Einseitigkeit unserer Sicht italienischer Frömmigkeit korrigiert, ist Giuseppe Dossetti. In den 50er und 60er Jahren tauchte sein Name öfter in der internationalen Presse auf; dann, als er die Bühnen von Politik und Kirchenpolitik verliess, um sich einer monastischen Gemeinschaft anzuschliessen, wurde es still um ihn.

Ein Radikaler in der Politik

Ein Radikaler evangelischer Prägung ist Don Giuseppe eigentlich schon immer gewesen. Auch dann, wenn die Stationen seines Lebensweges gar nicht so revolutionär sind: gutbürgerliches katholisches Elternhaus, Katholische Aktion und Studentenbewegung, frühe Hinwendung zur Heiligen Schrift und zur sozialen Verantwortung besonders für diejenigen, die am Rande der Wohlfahrtsgesellschaft leben. Die akademisch-bürgerliche Laufbahn – 1934 Promotion, 1943 Professor für kanonisches Recht in Modena – war kein Steigbügel für privaten Ehrgeiz. Ihm ging es wie seinen Freunden La Pira, Fanfani, Aldo Moro, um eine Gesellschaftsreform. Die Korruption des faschistischen Regimes widerte sie an. Dossetti schloss sich einer Widerstandsgruppe an, koordinierte 1944 die anti-faschistische Bewegung in der Region Reggio Emilia. Von hier aus datieren seine Freundschaften mit Leuten anderer Geistesrichtung, mit Sozialisten und Kommunisten. Der Zusammenbruch des Faschismus macht die Bahn frei für die Verwirklichung der

Reformträume: Abkehr von der kompromittierten Monarchie und entschlossene Hinwendung zur Republik, Abbau der schreienden sozialen Ungerechtigkeit im Lande, Distanz zu einer Aussenpolitik der Blockbildung zwischen Ost und West, Verzicht auf militärische Aufrüstung. Ihm geht es nicht schnell genug bei der Verwirklichung dieser Pläne. Immer stärker gerät er in Widerspruch zu Alcide de Gasperi, dem Führer der Christdemokraten, seiner Partei. 1952 verzichtet er auf sein Abgeordnetenmandat und widmet sich dem Aufbau eines theologischen Forschungszentrums in Bologna.

Von der Politik ins Kloster

Nach einem kurzen Abstecher in die Kommunalpolitik in Bologna 1956 nimmt er 1958 endgültig seinen Abschied von der Politik. Er tritt in eine Gemeinschaft ein, die sich um Kardinal Lercaro von Bologna gebildet hatte. Sie möchte auf den Pfeilern der Heiligen Schrift und der Eucharistie die Traditionen westlichen und östlichen Mönchtums miteinander verbinden. Es kommt zu Gründungen in Jericho und Jerusalem, die durch das Studium von Sprache und Kultur der Juden und Araber einen Beitrag zu ihrer Aussöhnung leisten wollen.

Aus der Kirche aussteigen? Nie!

Am II. Vatikanischen Konzil nimmt Dossetti als Berater von Kardinal Lercaro teil. Entscheidenden Anteil hat er an den Bemühungen Kardinal Lercaros, die Frage der Armut im weitesten Sinne zu einem zentralen Thema des Konzils zu machen. Wäre es nach diesen Männern gegangen, so wäre das Wort von der «dienenden und armen Kirche» heute nicht zu einer leeren Redensart verkommen.

Nach der Rückkehr vom Konzil will der Kardinal die Diözese im Geiste des Konzils erneuern. Er ernennt Dossetti zu seinem Provikar. Doch wenige Monate später – Papst Paul VI. hatte kurz zuvor die Altersdemission des 75jährigen Lercaro zurückgewiesen – erzwingen gegnerische Kräfte den Rücktritt des Erzbischofs. Die Angst vor einer politischen Linksorientierung in Bologna gab den Ausschlag.

Damit war auch das kirchliche Mandat grösseren Stils von Dossetti erloschen. Aus der Kirche wegen dieser neuen Enttäuschung aussteigen konnte und wollte er nie. Eine Tagebucheintragung Tolstois vom 22. April 1889 hat einen tiefen Eindruck auf ihn gemacht. Sie könnte als Leitmotiv über seinem Leben stehen: «Es ist nicht möglich, allein oder von sich aus rein zu werden; rein werden ja, aber zusammen; sich trennen, um sich nicht zu verunreinigen ist die grösste Unreinheit.» Dossetti lebt heute in der Nähe von Bologna; in dem von ihm gegründeten Gebets- und Sühnezentrum im Berggebiet des Monte Sole, wo deutsche Truppen bei ihrem Rückzug im Sommer 1944 771 Frauen, Kinder und Männer hinmordeten.

Vgl. Giuseppe Dossetti: Con Dio e con la storia. Una vicenda di cristiano e di uomo. Hrsg. von Angelina und Giuseppe Alberigo. Genua 1986.

Frau und Kirche

Marga Bührig
(geb. 1915)

Ihre Stimme ist vielen vertraut vom «Wort zum neuen Tag» am Radio. Eine marktschreierische Feministin ist sie nie gewesen: Marga Bührig, die von 1971 bis 1981 das Evangelische Tagungszentrum Boldern bei Zürich leitete und als erste Frau Präsidiumsmitglied des Ökumenischen Rates der Kirchen ist. Gerade deshalb, weil sie rhetorischem Pathos abhold war, konnte sie als Frau in der Kirche auf doppelt steinigem Boden – demjenigen der Schweiz und demjenigen der Kirche – mit einer furchtlosen Beharrlichkeit wirken, die heute ihre Früchte trägt.

Schritte ins Offene

Marga Bührig ist in Chur aufgewachsen. Sie studierte in Zürich, Bern und Berlin Deutsch und Geschichte. Unmittelbar nach Ausbruch des Zweiten Weltkrieges schloss sie ihr Studium mit dem Diplom für das höhere Lehramt und mit dem Doktorexamen ab. Aus freien Stücken – angeregt durch Vorträge und Predigten des Zürcher Theologen Emil Brunner – studierte sie später noch evangelische Theologie. Zunächst war sie am Freien Gymnasium in Zürich als Lehrerin tätig. Dann gründete und leitete sie mit Else Kaehler viele Jahre hindurch ein Studentinnen-Haus in Zürich. 1951 übernahm sie nebenamtlich die Redaktion der «Evangelischen Schweizer Frau», in der sie in vielen Artikeln die Verbindung zum Evangelium herzustellen versuchte. Ihr Blick richtete sich jedoch nicht nur auf die eigene Konfession und auf die Schweiz. Sie pflegte interkonfessionelle Kontakte und setzte sich ein für die Gründung der Zeitschrift «Schritte ins Offene», in der die evangelischen und die katholischen Frauenzeitschriften aufgingen. Wichtige Initialzündung war ihr Einsatz für die Saffa 1958, in der Frauen aus den Schweizer Kirchen gemeinsam initiativ wurden. Weltweite Kontakte konnte sie als Mitglied schweizerischer Delegationen anknüpfen: An der Weltkirchenkonferenz in Evanston, in New Delhi und in Nairobi und zuletzt in Vancouver 1983. Erstmals waren hier etwa ein Drittel der Delegierten Frauen. Ihr Eindruck war, dass diese Konferenz «farbiger, wärmer, lebendiger, lebensnaher, origineller war als andere – wohl auch existentiell frömmer».

Vancouver 1983

In Vancouver fiel ihr auf, dass hier Grunderfahrungen von Frauen so zur Sprache kamen wie nie zuvor. «Das Thema war: 'Jesus Christus, das Leben der Welt.' Was lag näher, als das Bild der Geburt zu brauchen – Jesus selbst hat das ja getan, wenn er sagt: 'Wenn eine Frau gebiert, hat sie Wehen; denn ihre Stunde ist gekommen. Doch wenn sie das Kind geboren hat, denkt sie nicht mehr an die Not zurück vor Freude darüber, dass ein Mensch zur Welt geboren ist.' Joh. 16.21.

Jesus braucht dieses Bild für die Situation seiner Jünger, die er allein und traurig zurücklässt. In Vancouver wurde es von Frauen vielfältig gebraucht: Warten, bis es Zeit ist, dass das Kind geboren ist. Krämpfe und Schmerzen, bis es zur Welt kommt – Bilder für den Glauben, lebensnahe Bilder ... Vielleicht war es für manche anstössig, das Blut Christi, das Blut der Märtyrer und das Blut von ganz gewöhnlichen Frauen so nah beisammen sehen zu sollen. Für viele Frauen war es unendlich befreiend. Denn lange ist unsere Leiblichkeit von der Kirche tabuisiert worden und ist es noch bis auf den heutigen Tag! Eine schwangere Frau auf der Kanzel oder am Altar – unmöglich! Das hört man auch noch heute.»

Boldern

Marga Bührigs eigentliches Arbeitsfeld war die Leitung der Wohngemeinschaft für Studentinnen und vor allem die Tätigkeit im Evangelischen Tagungszentrum Boldern (seit 1959). Hier hat sie seelsorgerische

Dienste geleistet, nicht im landläufigen Sinne des Besänftigens und Vertröstens, sondern mit mutigen «Schritten ins Offene».

Im Evangelium fest verwurzelt, war sie aufgeschlossen für geistige Strömungen. Sie wagte Brückenschläge: zu Jungen, Betagten, Diskriminierten, Aussenseitern, die die Kirche bisher sträflich vernachlässigt hatte, wie zum Beispiel den Homophilen. Sie verunsicherte allzu Sichere und sprach Verunsicherten Mut zu.

Aufrechter Gang

Mit einer töricht aggressiven Frauenbewegung, die es drauf anlegt, die Männer fertigzumachen, hat sie nichts zu schaffen. Auf die Frage, was denn Frauen heute einzubringen hätten, hat sie neulich geantwortet:

«Wir sind nicht die himmelstürmenden, sich selbst überlebenden, nach den Sternen greifenden Wesen, die zuerst erniedrigt werden müssen, bevor sie sich erheben können. Wir sind eher die, die ihr Leben verfehlen durch Selbstunterschätzung und Selbsterniedrigung und missverstandene Demut. Wir erkennen uns in der verkrümmten Frau, die von Jesus geheilt und zum aufrechten Gang erhoben wurde. Wir bringen dann aber auch Freude am Leben und Liebe zum Leben mit, zu einem Leben, das Gott geschaffen hat.»

Vgl. Marga Bührig: Spät habe ich gelernt, gerne Frau zu sein. Eine feministische Autobiographie. Stuttgart 1987. – Das Buch konnte für die Abfassung der Porträtskizze noch nicht benutzt werden.

Dynamik des Vorläufigen

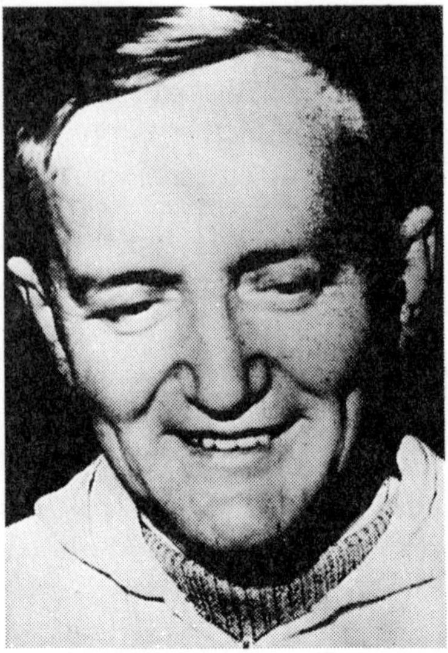

Roger Schutz
(geb. 1915)

Ihn vorzustellen brauchen wir nicht. Sein Name gehört zu denjenigen, die weltweit Hoffnung aufleuchten lassen, über den Raum christlicher Kirchen hinaus. Roger Schutz ist einer der nicht gerade zahlreichen Schweizer, die zu einem Symbol für Verständigung, Solidarität, gelebte Ökumene und Suche nach Gemeinschaft geworden sind. Wie kommt ein Waadtländer Pastorensohn – Geburtsort Provence, etwa 25 Kilometer von Neuenburg entfernt – zu Weltgeltung? Etwa weil er, wie so manche seiner Landsleute aus der

Romandie, sich absetzte von landeskirchlicher Enge und schweizerischer Selbstgenügsamkeit?

Sicher ist, dass seine Übersiedlung nach Frankreich ihm einen Wirkungskreis gab, den die Heimat nicht bot. Aber so manches wurde grundgelegt in frühen Erfahrungen, im ernsten und doch toleranten Geist des Elternhauses, im Zusammenhalt verlässlicher Freunde aus Neuenburg, Lausanne und Genf, die das theologische Rüstzeug gaben und das Wagnis von Taizé materiell und ideell unterstützten.

Glaubenskrise als Neubeginn

Zum Wagnis des persönlichen Glaubens hat Roger Schutz erst nach einer längeren Glaubenskrise gefunden. Wegbegleiter waren sowohl Pascal, der ihn über die Begrenztheit eines rationalistisch-naturwissenschaftlichen Weltbildes hinausschauen liess, als auch Madame Bioley, die katholische Hauswirtin, deren schlichte Gläubigkeit den Agnostiker immer wieder herausforderte. Vor die Wahl gestellt, ihn zu einer gut protestantischen, aber finanziell gesicherten und zu einer katholischen, jedoch bedürftigen Familie in Pension zu geben, hatte die Pastorenfamilie sich für letztere entschieden. So lernte Roger früh, über Konfessionszäune hinwegzusehen, spürte das Gemeinsame und den Anreiz, über trennende Gräben hinweg Brükken zu schlagen.

Suche nach Gemeinschaft

Er träumt davon, Schriftsteller und Landwirt zu werden. Die Zurückweisung eines Manuskriptes «Entwicklung einer puritanischen Kindheit» durch die «Nouvelle Revue Française» – Redaktor Jean Paulhan wäre bereit gewesen, den Essay unter Vorbehalt gewisser Änderungen zu drucken –, lässt ihn zur Theologie hinschwenken. Lausanne und Strassburg sind seine Studienorte. Der Ausbruch des Zweiten Weltkrieges weckt bei ihm und seinem Freundeskreis aktives Mitgefühl.

«Wenn sich dort ein Haus finden liesse, hätten wir die Möglichkeit, jenen zu helfen, die vom Geschehen am meisten betroffen und in ihrer Existenz am meisten gefährdet sind: Es könnte ein Ort werden, an dem sich Schweigen mit Arbeit verbinden liesse.»

Der Ort fand sich in Taizé im Burgund, unweit der Ruinen der grossen Benediktinerabtei Cluny. Es war ein alter, halbverfallener Bauernhof, den er mit Unterstützung aus der Schweiz kaufte und selber bewirtschaftete. Zunächst war das Haus Durchgangsstation für viele Flüchtlinge. Doch ein Denunziant verriet ihn an die Gestapo. Vor ihren Fängen rettete ihn seine Schweizer Nationalität. An eine Weiterführung der Tätigkeit war erst nach dem Kriege zu denken.

Wider die falschen Rücksichten

Unter dieses Motto könnte man sein Wirken stellen. Eine Welle von Misstrauen schlug ihm entgegen: Aus der Dorfbevölkerung, die misstrauisch und dem religiösen Leben nahezu völlig entfremdet war; von seiten der in engherzigen Konfessionsgrenzen denkenden Protestanten, die das «Katholisieren» der Gruppe um Schutz verdächtigten, von seiten mancher Katholiken, die bloss darauf warteten, die Gemeinschaft von Taizé als reife Frucht einstecken zu können. Mit evangelischer Beharrlichkeit haben Roger Schutz und seine Mitbrüder alle überlistet: Die superpatriotisch gesinnten Bauern, die daran Anstoss nahmen, dass die Brüder freundlichen Umgang mit deutschen Kriegsgefangenen pflegten; die sturen Protestanten, die meinten, ihre Grunddogmen gerieten ins Wanken, als die Gemeinschaft sich auf eine Regel und dazu noch auf den Zölibat verpflichtete; die Katholiken, die zu früh jubiliert hatten.

Taizé, der kleine Frühling

Die Brüder von Taizé haben es verstanden, Generationen von jungen Menschen aus aller Welt einen Sinn für verlorene Werte zu geben: Für Gebet, Meditation, Gemeinschaft und Solidarität. Hunderttausende haben inzwischen den Weg nach Taizé gefunden. Taizé, der kleine Frühling, so nannte Papst Johannes XXIII. diese Initiative der Neubelebung des monastischen Gedankens im reformierten Raum. Aber es ist ein monastischer Gedanke eigener Art, durchdrungen von der «Dynamik des Vorläufigen» und des Verzichtes auf Sicherungen.

Von hier aus darf Roger Schutz jene unbequemen Fragen stellen, die uns in der Behaglichkeit schweizerischer Landeskirchen (und in allen Kirchen) angehen und nicht nur die «Kirchen», sondern alle, die sich allzu komfortabel in diesen Kirchen eingerichtet haben.

Wir alle sind gefragt

«Kirche, was sagst du von deiner Zukunft?

Wirst du auf die Mittel der Macht und auf die Vorteile der Kompromisse mit der politischen und finanziellen Macht verzichten?

Wirst du die Privilegien aufgeben und dich weigern, Kapital anzulegen? Wirst du endlich ‹die universelle Gemeinschaft werden, die mit allen ohne Unterschied teilt›, endlich eine versöhnte Gemeinschaft, ein Ort der Gemeinschaft und der Freundschaft für die gesamte Menschheit?

Wirst du am konkreten Ort wie auf der ganzen Erde Samenkorn einer Gesellschaft ohne Klassen und Privilegien werden, in der nicht mehr ein Volk über das andere herrscht, noch ein einzelner Mensch über den anderen?

Wirst du das ‹Volk der Seligpreisungen› werden, ohne andere Sicherheit als Christus: Ein armes Volk, das kontemplativ lebt und Frieden schafft, das Träger der Freude und eines befreienden Festes für die Menschen ist, auf die Gefahr hin, dass du verfolgt wirst um der Gerechtigkeit willen?»

Vgl. Roger Schutz: Vertrauen wie Feuer. Herderbücherei Nr. 1194, Freiburg/Brg. 1985, und viele andere Titel im Verlag Herder.

Für die Armen kämpfen

Joseph Wresinski (geb. 1917)

Sein rundes Gesicht mit den freundlichen Augen strahlt Frieden und Güte aus. Man könnte ihn für einen gemütvollen Pykniker halten, einen von jener Sorte etwa, die Julius Cäsar (nach Shakespeare) um sich haben wollte. Ein Gemütsmensch mag der Franzose mit dem polnischen Namen sein; wichtiger ist jedoch, dass er sich ein reichlich unbequemes Leben mit eher ungemütlichen Menschen ausgesucht hat. Père Joseph hat seine Existenz als Mensch und Priester den Randständigen menschlicher Gesellschaft gewidmet: Asozialen, Zigeunern, Arbeitsscheuen, Familien und Individuen, die als Opfer auf der grossen Heerstrasse menschlichen Fortschritts am Wege liegengeblieben sind. Er hat sie als vierte Welt ins Bewusstsein der ersten Welt gehoben. Ihre Zahl ist seit dem letzten Jahrzehnt rapide am Wachsen.

Die «neuen Armen» sind in Frankreich ein Begriff geworden. Sie haben den französischen Episkopat zu ernsten Alarmrufen veranlasst, damit man sich dieser Menschen annimmt, die in unserer Wohlstandsgesellschaft buchstäblich hungern und frieren.

Eine Jugend im Schatten

Père Joseph ist selber aus dem Milieu randständiger Familien hervorgegangen. 1917 wurde er in Angers als Sohn einer polnischen Einwandererfamilie geboren. Am eigenen Leib erfuhr er die Schande der Erniedrigung. Er war ein rachitisches Kind mit krummen Beinen und sollte als kleiner Bub operiert werden. Doch die ungeduldige Mutter nahm ihn bei einem Besuch in der Klinik wieder mit nach Hause. So wuchs er, zeitlebens zu leichtem Hinken verurteilt, mit dieser Behinderung auf. Sie genügte, um ihn bei seinen Kameraden ins Abseits zu stellen.

Der Fünfjährige trug bereits zum Unterhalt der Familie bei. Als Messdiener in einer Klosterkirche bekam er sein Frühstück und jede Woche zwei Francs. Zu Zeiten, da zu Hause kein Geld da war, um Nahrung zu kaufen, musste er im Kloster auch das Essen für die Familie holen. Geschrien und geschlagen wurde zu Hause viel. Der Vater schrie die ganze Zeit und schlug den älteren Bruder, zum Leidwesen der Mutter, meist auf den Kopf. Geld war das Hauptthema; man sprach fast nur davon, und wenn einmal welches da war, wurde darüber gestritten, wie man es am besten ausgeben könne.

In späteren Jahren hat Joseph die Schande der Eltern besser verstanden. Der Vater, gedemütigt und erniedrigt, weil er für seine Familie, die er doch glücklich machen wollte, nicht den Lebensunterhalt beschaffen konnte, reagierte gewalttätig, um sich irgendwie Luft zu verschaffen. Doch wie gelang es dem kleinen Joseph, aus diesem Teufelskreis der Abhängigkeit und der Gewalt herauszukommen?

Warum Priester?

Sicher spielte die Hingewöhnung des Buben zur Kirche eine wichtige Rolle. «Schuld» daran war die Frömmigkeit der Mutter. Dazu kam das positive Erleben der Kirche. Im bürgerlich-satten Frankreich der Vorkriegszeit war die Kirche selber an den Rand der Wohlanständigkeit gedrängt, waren Pfarrer und Ordensleute vielfacher Diskriminierung ausgesetzt. Als positiv empfand der Knabe, dass der Pfarrer die wenigen Sous, die seine Mutter als Beitrag zu einem Messstipendium aufbringen konnte, annahm. Er sah darin eine Respektierung der menschlichen Würde seiner Mutter. Joseph hat die Kirche in seiner Jugend positiv erfahren als «Kirche der Armen», von den Reichen und Satten verachtet. Das hat ihm eine Identifikation mit ihr ermöglicht, die auf einem langen und schwierigen Weg zum Priestertum hinführte.

Entdeckung einer Berufung

Joseph gehörte zu jener Generation der Kirche Frankreichs, die die Arbeiterpriester und einen Abbé Pierre hervorgebracht hatte. Ihm, wie vielen seiner Altersgenossen, brannte das Herz, das Schicksal der Armen und Proletarier zu teilen. Aber erst der Vierzigjährige entdeckte in einer Obdachlosensiedlung von Paris seine Berufung. Am 14. Juli 1956, dem französischen Nationalfeiertag, kam er in brennender Hitze dort an. Die Gassen waren verlassen – niemand war draussen. Vor dieser Leere sagte er sich:

«Früher versammelten die Wasserquellen, die Strassenkreuzungen, ein Kirchturm, eine Industrie die Menschen. Hier werden die Menschen durchs Elend zusammengeführt. Es war wie eine Inspiration . . . Ich hatte mit einem kollektiven Elend zu tun. Von Anfang an fühlte ich, dass ich mich vor meinem Volk befand. Von diesem Moment an nahm mein eigenes Leben eine Wende. Denn an jenem Tag habe ich mir versprochen, wenn ich bleibe, mache ich, dass diese Familien die Stufen des Vatikans, des Elysée, der Uno erklimmen können.»

Die Armen sind die Kirche

Père Joseph hat Wort gehalten. Aus seinen geduldigen Bemühungen wächst die Bewegung ATD (Aide à toute détresse – Hilfe für jegliche Not) – Vierte Welt. Mitglieder sind zunächst einmal die ärmsten Familien selber. Ständige Mitarbeiter oder Volontäre teilen ihr Leben, lernen ihre Probleme kennen und setzen sich gemeinsam mit ihnen für Veränderungen ein. Verbündete und Freunde vertreten die Anliegen der Bewegung in der Gesellschaft: in ihrem Beruf, ihrer Partei, ihrer Gewerkschaft, ihrer Kirche. Die Bewegung ist nicht konfessionell, nicht kirchlich; es gibt bewährte und tapfere Mitarbeiterinnen und Mitarbeiter, die ungläubig sind. Dafür steht Père Joseph fest auf dem Boden evangelischer Frömmigkeit und kirchlich orientierter Spiritualität. Von einer gewalttätigen Befreiungstheologie – falls es sie geben sollte – hält er nicht viel: Auch nichts von einer geschwätzigen Theologie, die an den Ärmsten der Armen vorbeiredet. In einer Zeit, in der die Presse, auch die katholische, ein etwas unverhältnismässiges verbales Interesse an der Befreiungstheologie demonstriert, ist es an der Zeit, daran zu erinnern, dass es auch bei uns, direkt vor der Tür, ein Elend gibt, zu dessen Behebung vage Sympathien nicht genügen.

Vgl. Le Père Joseph. Les pauvres sont l'Eglise. Entretiens entre le Père Joseph Wresinski et Gilles Anouil. Paris 1983.

Im Teufelskreis des Alkohols

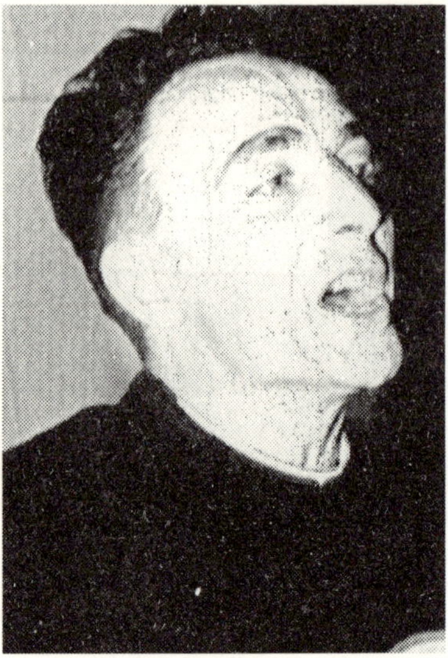

Aimé Duval
(1918–1984)

Sein Name ist ein Begriff für die mittlere Generation. Mit Sœur Sourire, der belgischen Dominikanerin, war der französische Jesuit, Père Lucien-Aimé Duval, ein gutes Jahrzehnt der Troubadour Gottes unter den Chansonniers. Den Gilbert Bécaud des Glaubens, den Georges Brassens im Klerikerkragen, hat man ihn genannt. Einzelne seiner Platten erreichten Rekordauflagen. Sie wurden auch in Warschau und Moskau gespielt. Manche mögen sich an seine Konzerte hier in der Schweiz erinnern, in Basel, in Luzern, in Lausanne, in Genf und in Neuenburg. Der Gitarrist Gottes war der Sänger der Hoffnung der Kleinen: Der Arbeiter und bescheidenen Angestellten, deren Leben im Grau des Alltags zerfloss, der Jungen, die ihre Träume begraben mussten, der Menschen, die unstillbaren Hunger und Durst nach Gerechtigkeit hatten. Seine Stimme war zärtlich, beharrlich, aber nicht aufdringlich, von einem grundtiefen Vertrauen erfüllt. Andere Kleriker haben versucht, es ihm nachzumachen: Erreicht hat ihn keiner.

In den 70er Jahren wurde es still um ihn. Unvermeidliches Schicksal des Chansonniers, der von jüngeren Rivalen verdrängt wird? Ja und nein. Hinter Père Aimé Duvals Abgang stand eine menschliche Tragödie. Der Gitarrist Gottes war dem Alkohol verfallen. Für einen Rock-Star, der seinen ausgelaugten Körper mit Drogen aufputscht, um auf Draht zu sein, mag das hingehen. Aber wie konnte ein Jesuit, der in Askese und Selbstüberwindung gestählt und in einer Gemeinschaft integriert war, jemand, der wie er vom Erfolg verwöhnt war und als eiserne Reserve die Heilige Messe und das Gebet besass, so tief sinken?

Schuldig sind nicht die andern

Aimé Duval ist der Sohn einfacher und kleiner Bauersleute aus den Vogesen. Er wächst mit mehreren Geschwistern auf und muss bis zur Schule täglich 8 km zu Fuss zurücklegen. Er ist weder verwöhnt noch erblich belastet. Der Vater ist kein Trinker, die Mutter nippt höchstens ein- oder zweimal im Jahr an hohen Festtagen an einem Gläschen Likör. Es mangelt nicht an Zärtlichkeit und Wärme im Elternhaus. Autoritärer Druck wird keiner auf ihn ausgeübt: seine Entscheidungen zum Eintritt ins Gymnasium, später in den Jesuitenorden, sind frei von Zwang. Er sympathisiert mit allen Aufbrüchen im französischen Katholizismus, vor allem mit der Résistance und mit den Arbeiterpriestern. Der Jesuitenorden hat seine musikalische Begabung nicht aufgebaut. Aber er hat Aimé Duval gewähren lassen und ihn auch gehalten durch alle Krisen hindurch.

Das Rampenlicht und sein Tribut

Aimé Duval macht eine Weltkarriere. Er gibt Konzerte in allen Ecken Europas. 30 000 Anfragen erreichen ihn. 3000 Auftritte hat er gegeben. Bundeskanzler Adenauer schenkt ihm eine Gitarre. Zunächst hilft der Alkohol. Mit einem Glas Bier oder einer Flasche Roten gerät er in Stimmung, kann er Enttäuschungen hinunterspülen, die Nervosität vor öffentlichen Auftritten dämpfen. Der Übergang zur Masslosigkeit vollzieht sich unmerklich. Selbstbeschwichtigungen gibt es viele: «Lucien, Aimé, Du brauchst das, Du kannst viel trinken, Du schwitzest ja alles heraus.» Dann ertappt er sich, wie er sich im Hause in den Keller hinabstiehlt, routinemässig die letzte Stiege überspringt, weil sie knarrt, die leeren Flaschen hinter den vollen versteckt. Das Karussell dreht sich weiter. Von der Flasche Rum, die er vor einem Auftritt austrinkt, bis zur Kiste Elsässer Wein, die er in 48 Stunden leert, gibt es viele kleine und grosse Zusammenbrüche. Das vorwurfsvolle «Hör doch auf» der Mitbrüder fruchtet nichts. Auch das Gebet und die Vorsätze helfen nicht weiter.

Rettungsplanke: Anonyme Alkoholiker

Es kommt zu einem völligen Zusammenbruch, zu einem Selbstmordversuch und zur Einlieferung in eine Pariser Klinik. Erst hier akzeptiert er, was alle andern wissen, was er aber bisher nicht wahrhaben wollte: Dass er ein Alkoholiker ist. Er realisiert, dass der Alkoholismus kein Jux und kein Makel, keine Gewöhnung und keine Schwäche ist, sondern eine Krankheit, eine schleichende Krankheit, eine höllische Verfinsterung der Seele. Schuldzuweisungen an andere Menschen oder menschliche Vorwände führen zu keiner Wende. Erst die Begegnung mit den «Anonymen Alkoholikern», auf die ihn der Pariser Arzt hinweist, zieht ihn aus dem Tief heraus. Im Gespräch mit Frauen und Männern, die wie er durch den Teufelskreis des Alkohols geschritten waren, die ohne falsche Scham einander über ihre Zustände berichten, findet er inneren Halt, entdeckt das Selbstvertrauen wieder. Als «Trockener», wie es in der Fachsprache heisst, hilft er noch nahezu 15 Jahre hindurch andern, wieder aus der teuflischen Abhängigkeit loszukommen. Seine besondere Gnade, die ihn auch in den dunkelsten Stunden nie verlassen hat, war die Einsicht, dass Gott gut ist und dass er in Jesus Christus den Menschen in einem erkennbaren Antlitz entgegengekommen ist.

Vgl. Aimé Duval: Warum war die Nacht so lang. Wie ich vom Alkohol loskam. Freiburg/Brg. 1984. – Die Adressen der «Anonymen Alkoholiker» vermittelt der Sozialmedizinische Dienst der Kantone. Sie sind auch im Telefonbuch grösserer Städte unter AA zu finden.

Urzelle Familie

Hermann Gmeiner (1919–1985)

Mit fünf Jahren verlor er die Mutter. Sie starb kurz nach der Geburt ihres neunten Kindes im Weiler Tannen (Vorarlberg). Aber ihr Bild lässt den Sohn nicht mehr los. Sie wird das Urbild mütterlicher Zuwendung sein, die er mit seinen Helfern elternlosen Kindern schenkt. Die Mutter war eine einfache Frau. Sie kannte von der Welt nicht mehr als das Stück des Bregenzerwaldes, in dem sie aufgewachsen war. Doch den Sohn treibt dieses Bild der Mutter an, in den von

Krieg und Bruderzwist geschüttelten Ländern Herdfeuer der Geborgenheit für die Opfer dieser Weltbrände anzuzünden.

Jugend im Krieg

Der Gründer der SOS-Kinderdörfer ist ein Bergbauernbub. Das Leben hat ihn hart angepackt; er meistert es zäh und zielstrebig. An Feuerproben und Zäsuren fehlt es nicht. Durch Vermittlung des Dorfpfarrers kommt er nach Feldkirch ans Gymnasium. Er ist älter als die Mitschüler, ein guter Turner, etwas eigenbrötlerisch und wissenshungrig nach jenem Lebenssinn, den die Bücher und Schulen nicht geben können. Noch vor dem Abitur wird er zur deutschen Wehrmacht eingezogen, erlebt mit Widerwillen die Verhetzung der Massen und die Verherrlichung des Krieges. Mehrfach verwundet entgeht er der Katastrophe.

Studienabbruch und Neubeginn

1946 holt er unter Aufbietung letzter Willenskräfte das Abitur nach und beginnt im Herbst das Medizinstudium in Innsbruck. Damit bringt er es jedoch nicht weit. In der Innsbrucker Pfarrei, in der er mitarbeitet, entdeckt er die Not verwahrloster Jugendlicher. Er steigt aus dem Medizinstudium aus und wird vollamtlicher Dekanatsjugendführer.

Das ist nur ein vorgezogenes Praktikum auf anderer Ebene. Die Erkenntnisse der Diagnose, die er stellt, beunruhigen ihn. In den öffentlichen Heimen wachsen Kinder auf, abgeschoben, ohne Liebe und Zuneigung, mehr überwacht als erzogen und geformt, abgefüttert in Grossküchen.

Noch intakte familiäre Bindungen werden abgewürgt, Geschwister auseinandergerissen, die Jüngern von den Älteren, die Buben von den Mädchen getrennt. Ganz im Gegensatz zu einer Familie.

SOS-Kinderdorf: Ein neues Konzept

Gerade diese unnatürlichen Härten und Brüche will Gmeiner ausmerzen. Er möchte vermeiden, dass die Heimkinder wieder die Vorhöfe der Kriminalität bevölkern. Sie sollen nicht mehr in kasernenartigen Massenanstalten wohnen, sondern in wohnlichen Häusern, in einem Kinderdorf in der Nähe eines normalen Dorfes. Die Kinder sollen wie normale Kinder Kindergarten, Schule und Kirche besuchen, gemeinsam mit der Hausmutter zu Tisch sitzen, die Grösseren den Kleineren helfen.

Natürlich schütteln alle klugen Leute den Kopf und raten ab. Doch Gmeiner lässt nicht locker. Zufälle – oder soll man es anders nennen – tragen dazu bei, dass die kühne Idee Gestalt annimmt. Die Stadt Imst im Oberinntal – der Bürgermeister war selbst als Waisenkind aufgewachsen – stellt ein Grundstück zur Verfügung, eine Weihnachtskartenaktion bringt die ersten Spendengelder zusammen. Im April 1951 übernimmt die erste Hausmutter das Haus «Frieden», das erste schlüsselfertig eingerichtete Haus im SOS-Kinderdorf Imst.

Siegeszug einer Idee

1954 stehen in Imst bereits 15 solche Häuser, Pläne für ein zweites Kinderdorf beschäftigen ihn und seine Mitarbeiter. In Frankreich, Deutschland und Italien bilden sich SOS-Kinderdorf-Vereine, die Gmeiners Ideen übernehmen. 1963 weitet sich die Kinderdorfidee nach Asien und Südamerika aus, 1970 nach Afrika. Kriege, Katastrophen und Massenelend sorgen dafür, dass die Kinderdorfidee bis heute eine unverbrauchte Aktualität besitzt. Heute gibt es 200 SOS-Kinderdörfer in 70 Ländern der Welt mit angeschlossenen Sozialzentren und Jugendhäusern. Weltweit werden die SOS-Kinderdörfer von fünf Millionen Kinderdorffreunden und 55 000 Paten unterstützt.

Über den Glauben, der ihn in all den Jahren trug, sagt der katholische Christ Hermann Gmeiner: «Was mich anbelangt, so verdanke ich der Religion genausoviel wie dem Wissen, das ich im Laufe der Jahre erworben habe ... Zu Hause waren wir in einer Atmosphäre tiefer Religiosität aufgewachsen ... Unsere Frömmigkeit war verstandenes und missverstandenes Christentum. Doch sie bewahrte uns vor der öden Selbstverständlichkeit des Dahintreibens im grauen Alltag. Sie machte uns bescheiden im Glück und tapfer im Leid.»

Vgl. Hermann Gmeiner: Eindrücke – Gedanken – Bekenntnisse. Innsbruck-München 1978.

Herdfeuer entzünden

Chiara Lubich (geb. 1920)

Den Namen «Fokolar» haben viele bereits gehört. Wenige wissen, was er bedeutet. Er kommt aus dem Italienischen und heisst Herd oder Herdgemeinschaft. Feuer, Licht und Wärme des Evangeliums wollen die Fokolare entzünden. Die Gründerin dieser Bewegung, die heute in 146 Nationen auf der ganzen Welt verbreitet ist und etwa eine Million Sympathisanten hat, ist eine zierliche, kleine Frau, Chiara Lubich. Sie stammt aus einer Arbeiterfamilie in Trient und war ursprünglich Lehrerin. Die Initialzündung passierte während des Kriegsjahres 1943. Chiara beschreibt das folgendermassen:

«Alles begann eines Tages bei uns zu Hause, als ich gerade bei meiner Mutter war und ihr ein wenig helfen sollte. Während ich eine Besorgung für sie machte, vernahm ich in mir den Ruf Gottes. Mir schien, als ob Gott mir sagte: 'Schenk dich mir ganz.' Ich blieb stehen, so sehr war ich berührt von diesem Gedanken.» Sie fragte ihren Beichtvater um Rat und erhielt von ihm die Zustimmung, sich Gott zu weihen.

Wiederentdeckung des Urchristentums

Es sammelten sich um sie einige junge Mädchen, die sie bei der Arbeit oder während des Studiums kennengelernt hatte. Sie bezogen eine kleine Wohnung und entdeckten während Bombenangriffen Kernsätze des Evangeliums neu, vor allem das Gebot der Liebe zu allen Menschen und der Hingabe des eigenen Lebens für die Freunde. Die Bedrohungen der Zeit – nach einem Bombenangriff konnte das Leben ausgelöscht sein – gab dieser Neuentdeckung der so oft gelesenen Sätze des Evangeliums eine neue, dramatische Unmittelbarkeit. Bei einer Reihe von Menschen wuchs die Bereitschaft, aus Formelhaftigkeit und Routine auszubrechen und mit dem Christentum ernst zu machen.

«Es wuchs in mir der Wunsch, mein Leben – das einzige Leben, das ich besitze – für ein Ideal einzusetzen, das nicht vergeht und von keiner Bombe zerstört werden kann.»

Offen für alle

War das die Geburtsstunde eines neuen Ordens oder einer neuen Kongregation? Chiara Lubich und ihre Gefährtinnen wollten in der Welt bleiben, aber nicht als nach aussen Abgesonderte, sondern als offene Gemeinschaft. Bereits die Anfänge spiegelten Offenheit und Vielfalt der Zusammensetzung: Menschen aus allen sozialen Schichten und Altersstufen, Mütter, Kinder. Im Laufe der Jahre hat die Bewegung sich etwas stärker gegliedert: Frauenfokolare, dann die der Männer, später diejenige der Priester. Auch verheiratete Laien können sich ihrem Stand entsprechend Gott weihen.

Evangelium neu entdeckt

Was war das Neue an diesem Werk? Sicher nicht die Kernsätze des Evangeliums. Sie waren längst bekannt und oft gehört worden. Vielmehr begannen diese uralten Sätze gleichsam von innen her neu zu leuchten: Gottes- und Nächstenliebe konkret. Kein spezielles Programm, keine theologische Schule, sondern die Schule des Evangeliums. Sich einsmachen mit dem anderen und sich selbst dabei vergessen, ist eine der Einstiegsmöglichkeiten. Und das nicht nur in Einkehrtagen, sondern in den kleinen Dingen und Begebenheiten des Alltags.

Einheit und Einswerdung

Eines der zentralen Momente dieser Spiritualität ist dasjenige der Einheit. Inmitten der grossen Strömungen zur Einheit und Einswerdung, die in der heutigen Welt am Werke ist, sehen die Fokolare nicht nur den unaufhaltsamen Trend zur «Mondialisierung», sondern ein für die Christen in besonderer Weise verpflichtendes Gebot. Es hat seine Begründung im Johannesevangelium. So geschieht das Überraschende: Diese italienische Gründung, die aus urkatholischem Wurzelreich kommt, übersteigt ihre eigenen Grenzen und gewinnt ökumenische Bedeutung sowohl für die kleine als auch für die grosse Ökumene. Für die kleine Ökumene, indem sie Christen katholischen, lutherischen und reformierten Bekenntnisses zusammenführt und sie entdecken lässt, dass das gemeinsame geistliche Erbe grösser ist als das Trennende. Dadurch leisten die Fokolare einen unabdingbaren Beitrag zur Verankerung ökumenischer Grundhaltungen der Basis, ohne den tragenden konfessionellen Grund aufzugeben. Seit dem letzten Jahrzehnt versuchen die Fokolare auch, aus dieser Grunderkenntnis gemeinsamer spiritueller Werte Nichtchristen zu begegnen, mit Vertretern der Weltreligionen in spirituellen Austausch zu kommen. Unübertrefflich hat Mutter Teresa in einer Begegnung mit Chiara Lubich die Vielfalt der christlichen Gnadengaben ausgesprochen:

«Was Du tun kannst, kann ich nicht tun, und was ich tun kann, kannst Du nicht tun. Das ist das grosse Geheimnis des Leibes Christi: Jeder hat seine Aufgabe und muss ihr treu bleiben.»

Vgl. Chiara Lubich und die Fokolar-Bewegung. Gespräche mit der Gründerin. Hrsg. von Regina Betz. München 1982.

Ohne Augen und ohne Hände

Jacques Lebreton
(geb. 1921)

Es geschah kurze Zeit nach der Schlacht von El-Alamein im November 1942. Jacques war gerade damit beschäftigt, Handgranaten zu verladen. Einer seiner Kameraden, der unvorsichtig mit einem dieser Dinger gespielt hat, bekommt plötzlich Angst und reicht ihm die Granate. Jacques merkt sofort, der Zünder ist noch drin, sie wird gleich explodieren. Aber er sieht keine freie Stelle, wo er sie hinwerfen könnte. Gleich neben ihm hocken die Kameraden, vor ihm steht ein Tankwagen mit Benzin, und rechts sind zwei Offiziere, die miteinander plaudern. Wie oft sein Blick in diesen Sekunden die Runde macht, er weiss es nicht. Plötzlich ein Knall. Die Granate ist in seinen Händen explodiert.

Das Bewusstsein hat Jacques später verloren, als der Blutverlust sich auszuwirken begann. Doch erst nach vielen Wochen und Monaten ist ihm die Schwere seiner Verletzung bewusst geworden. Die Arme zerfetzt, die Augen ausgelöscht und eine schwere Beinverletzung. Er glaubte sie noch zu spüren, seine Hände, die die Granate hielten in dem Augenblick, als sie explodierte. Monatelang hat er gehofft, er werde einen Lichtschimmer wiedersehen, wenn sie ihm die Binde von den Augen nähmen, die er wegen der schweren Kopfverletzung trägt. Doch als die Binde abgenommen wird, sind die Augenhöhlen leer.

Was vorher war

Vorher war die Heimat, der kleine Gutshof, auf dem er mit zehn Geschwistern aufwuchs. Jacques stand gerade vor der Beendigung der Landwirtschaftsschule, als der Zweite Weltkrieg ausbrach. In einem der letzten Schiffe, welches Zivilisten mitnahm, setzte er mit seinem Bruder nach England über. Er trat in ein französisches Freiwilligenkorps ein und wurde nach seiner Ausbildung nach Lybien geschickt. Hier ereilte ihn sein Schicksal.

Was nachher kam

Die erste Reaktion war Rebellion: «Ich hatte mir gesagt: Der Tod auf offenem Schlachtfeld, das ist nicht schlimm, denn man sieht ihn nicht kommen. Aber was ich am meisten fürchtete, das war, einen Arm oder ein Bein zu verlieren; ich meinte, ich könnte das nicht ertragen und würde mir eine Kugel durch den Kopf schiessen, wenn mir das passierte. Und heute habe ich keine Augen und keine Hände mehr... Sehen Sie, diese kombinierte, vierfache Amputation, das ist doch eine raffinierte Grausamkeit. Ich sehe kein grösseres Unglück als dasjenige, das mich getroffen hat, und wie wollen Sie da, dass ich nicht rebelliere? Sie sagen, dass Gott gut ist. Wie kann er dann eine solche Katastrophe zulassen?... Geben Sie sich Rechenschaft, dass ich einundzwanzig bin, das schönste Alter, wie man so sagt. Man macht allerhand Pläne in dem Alter, aber niemals, wie man als Krüppel leben soll... Was habe ich bloss verbrochen, um so gestraft zu werden? Ich bin Soldat geworden, um mein Land zu befreien, meine Familie, und nun belohnt Gott mich auf diese Weise...»

Nicht Hinnahme - Annahme

Jacques hat die Verzweiflung der ersten Wochen allmählich überwunden. Eine Krankenschwester, diskret und taktvoll, trug viel dazu bei. Dann das bewusste Anknüpfen an den Glauben der Jugend, an Gebet und tägliche Kommunion. Der Lebenswille wuchs wieder. Er lernte nach langer Unsicherheit, das Opfer seiner Hände und Augen anzunehmen, anstatt diese Verstümmelungen einfach hinzunehmen. Sein zaghafter Versuch, tapfer und mutig zu sein, wird auf einmal zur Gewissheit, die alle Zweifel verjagt. Er lernt wieder gehen und findet die Bereitschaft einer jungen Frau, ihr Leben mit ihm zu teilen. Aus ihrer Ehe gehen mit den Jahren fünf Kinder hervor, drei Buben und zwei Mädchen. Als Sekretär eines Blindenverbandes findet er ein Auskommen und eine Beschäftigung, die sinnvoll erscheint.

Keine Reifung ohne Krise

Noch einmal kommt es zur grossen Krise. Ein Radikalismus der Hingabe treibt ihn dazu, mit Arbeiterpriestern in eine Barackensiedlung zu ziehen. Hat er sich und den Seinen zuviel zugetraut? Er tritt der Kommunistischen Partei bei, bricht mit der Kirche und denkt daran, sich scheiden zu lassen. Doch soweit kommt es nicht. Nach acht Jahren findet er sein seelisches Gleichgewicht wieder. In seinem Abschiedsbrief an die Menschen, die mit ihm für eine bessere Welt gekämpft hatten, heisst es: «Dank dir Michel, der Du eine Kugel ins Bein bekamst, als Du die 'Humanité' verkauftest...Und Du Pierre, der Du die Nachricht meiner Rückkehr zur Kirche mit Sarkasmus aufnehmen wirst, wirst Du mir verzeihen für das, was in Deinen Augen bloss Verrat sein kann? Ich denke auch an Dich, Madeleine, Mutter des Maquisarden, der mit zwanzig Jahren erschossen wurde, die Du geweint hast, als Du mich zum erstenmal sahst, weil ich Deinem Sohn so ähnlich war, und sagtest: Ach, wenn sie mir meinen Jungen doch nur in dem Zustand zurückgegeben hätten. Und an Dich, Jean, der Du mir geschrieben hast: Wenn die, die an Gott glauben, und die, die an den Menschen glauben, sich doch die

Hände reichten, welch wunderbare Kathedrale könnte man gemeinsam bauen und wie würde es sich lohnen, dabei draufzugehen.»

Vgl. Jacques Lebreton: Sans yeux et sans mains. Casterman, Tournai [7]1969.

Theologe des Teilens

Meinrad Hengartner
(1925-1984)

Ideen zu haben, ist keine Kunst. Sie liegen auf der Strasse. Sie aufzugreifen und zu verwirklichen, ist alles. Dass reiche Länder unterentwickelten helfen, dass in einem Lande ein finanzieller Ausgleich mit wirtschaftlich schwächer gestellten Regionen geschaffen wird, ist heute eine Selbstverständlichkeit. In einer Reihe von Ländern gibt es Ministerien für Entwicklungshilfe; in der Schweiz untersteht eine diesbezügliche Sektion dem Politischen Departement.

Vor 25 Jahren war das nicht so. Nicht einmal in der Kirche. Dass der biblische Begriff christlicher Brüderlichkeit in unserer Zeit in der Kirche Schweiz eine neue Sinnentfaltung finden sollte, ist das Verdienst eines Mannes, der kein Theologe im herkömmlichen Sinne war, nicht einmal Akademiker, sondern einfacher katholischer Laie und Familienvater: Meinrad Hengartner.

Hengartner hat der Kirche Schweiz von der Pike auf gedient. Er war ein Pionier und hat all das auf sich genommen, was ein Pionier auf sich nehmen muss: die geduldige Kleinarbeit, den rastlosen Einsatz, den anfänglich schmalen Lohn, das zähe Durchhalten und schliesslich den letzten Verzicht, die Hingabe des eigenen Lebens.

Nur Ergriffene ergreifen

Meinrad Hengartner, am 9. Mai 1925 in Waldkirch (SG) geboren, konnte nur die Volksschule in Flawil besuchen, wo sein Vater Sigrist war. Er machte eine Lehre als Weber. In seiner Freizeit betätigte er sich in der kirchlichen Jugendbewegung, zuletzt als Kantonsführer der Jungwacht St. Gallen. 1948 holt ihn Prälat Josef Meier – der heimliche Erzbischof der Schweiz, wie er in Insiderkreisen genannt wurde – ins Generalsekretariat des «Schweizerischen Jungmannschaftsverbandes» nach Luzern. «Doktor Meier» hatte ein Naturtalent entdeckt. Der Eintritt Hengartners vollzog sich «noch unter wehenden Bannern, claironbegleiteten Einzügen zu Gemeinschaftsmessen mit

Sprechchören und Generalkommunion, mit Treueversprechen und bekenntnishaften Aktionen» (M. Merki). Mit einem feinen Gespür für das Zeitbedingte und das Zeitgemässe hat der Laie Hengartner neue Wege beschritten: nicht mit dem Ingrimm des Besserwissers, sondern in gezielten Aktionen, die einen vollwertigen Ersatz für Überholtes schufen: Ministrantenbildung, liturgische Erziehung, Bildungskurse, Einkehrtage, Ferienkurse, Brautleutewochenenden.

Seine grosse Stunde schlägt, als er im Jahre 1957 ein Missionsjahr der Jungwacht organisieren kann. Vier Jahre später führen die Jungverbände unter seiner Leitung ein Missionsjahr durch. Breiteste Volkskreise sollen mit dem Anliegen der christlichen Mission vertraut werden. Das sensationelle Sammelergebnis von 17 Millionen Franken ist nur die Spitze eines Eisberges: viel wichtiger war, dass zum ersten Mal Mission als Aufgabe allen Christen nahegebracht wurde.

1962 wird das Missionsjahr der Schweiz zur feststehenden Einrichtung. Das nickende Negerlein in Kirchen und Kapellen, der Loskauf der armen Heidenkinder durch die Abfälle des reichen Westens, der erstarrte Fastenbegriff – Fisch am Freitag – sollen durch zeitgemässe Solidarität ersetzt werden. Durch «Teilen», freiwilligen Verzicht, sollte in der Welt Gerechtigkeit verwirklicht werden. Aus dem Missionsjahr wurde das Fastenopfer.

Die Idee Hengartners wird zu einem bleibenden Erfolg. Gegenüber allen Weltverbesserern vom Schreibtisch aus, hält er an einem realistischen Verteilerschlüssel fest: an der Missionshilfe, der Entwicklungszusammenarbeit (auch mit den Reformierten) und dem Inland (das gerne übersehen wird).

Doch von Meinrad Hengartner wird das schwerste aller Opfer verlangt: das Leben. 1983 erkennen die Ärzte bei ihm die heimtückischste aller Krankheiten. Er setzt sich zur Wehr: Ende Mai 1984 verabschiedet er sich mit souveräner Klarsicht vom Fastenopfer mit folgenden Worten: «Im Frühling unseres Daseins haben wir den Anfang zu wagen und zu bestehen. In der Lebensmitte, im Sommer, ist das Erreichte zu vertiefen und oftmals in der Hitze des Tages durchzutragen. Wenn es Herbst wird, haben wir das Loslassen zu üben und uns für den Heimgang zu rüsten. In der jetzigen Situation fühle ich mich zuversichtlich gehalten von der Kraft jenes Satzes, den wir als letzten im 'Credo' immer neu bekennen und wiederholen: 'Ich glaube an ein ewiges Leben.'»

Vgl. Dr. Meinrad Hengartner 1925–1984. Gründer und Direktor des Fastenopfers. Luzern 1984.

Politik - Frau - Kirche

Hanna-Renate Laurien
(geb. 1928)

Von Pluralismus ist heute viel die Rede. Einige verstehen darunter die Auflösung von Bindungen und die Beliebigkeit der Werte und Entscheidungen. Doch erstaunt, dass jüngere Menschen, die sich diesem Pluralismus der Werte verschreiben, ziellos und freiheitsmüde werden und kaum belastbar sind. Der an sich positive Zuwachs von Wahlmöglichkeiten führt durch die Zerstörung jeglicher Bindung zur Sinnentleerung von Freiheit. Hanna-Renate Laurien stellt diesem missverstandenen Pluralismus ein Wort des jüdischen Philosophen Martin Buber entgegen:

«Der Gegensatz zu Zwang ist nicht Freiheit, sondern Bindungsbereitschaft.»

Havariertes Schiff wird flott

Ein klares Wort für jemand, der sich seinen Weg durch so viele Pseudo-Werte und staatlich aufoktroyierte Massstäbe hin ertasten musste. Hanna-Renate Laurien, Senatorin für Schulwesen und stellvertretende Vorsitzende der CDU in Deutschland, gehört zur Kriegsgeneration. Sie ist in Danzig geboren als Tochter eines Chemikers und Ministerialrates, wurde zum Reichsarbeitsdienst eingezogen, sah die von SS-Frauen bewachten Jüdinnen in der Giftabteilung der Fabrik und brachte die Disziplin auf für eine Viertelstunde Bibellesung vor dem 5.00-Uhr-Wecken. Was Freiheit ist, entdeckte sie in den Jahren 1944 bis 1945.

Dann kam die Niederlage, die russisch-amerikanische Besetzung, die Immatrikulation an der Humboldt-Universität in Berlin zum Studium der Germanistik, Anglistik und Philosophie. Jahre, in denen sie zeitweilig als Platzanweiserin in einem Kino oder als Kassiererin in einer von Amis (Amerikanern) besuchten Sauna sich ein Zusatzbrot verdiente. 1951 erfolgten Staatsexamen und Promotion. Im gleichen Jahr tritt sie zur katholischen Kirche über – heimlich, um den Eltern nicht weh zu tun –, nimmt in Nordrhein-Westfalen Schuldienst auf und betätigt sich früh in der Politik.

Eine steile Karriere steht ihr bevor: Mit 37 Jahren ist sie Oberstudiendirektorin in Köln, 1971 bis 1976 Staatssekretärin im Kultusministerium in Mainz, 1976 bis 1981 Kultusminister für Rheinland-Pfalz. Seitdem ist sie im gleichen Amt in Berlin tätig.

Zwischen Feminismus und Männerwirtschaft

Karriere, weil sie das rechte Parteibuch hatte und der Trend zur Chancengleichheit der Frau ihr entgegenkam? Sicher eine günstige Konstellation. Doch viel stärker wog der persönliche Einsatz, das politische Urtalent, der Mut, sich zu exponieren, und auch mal ein tüchtiger Streit mit politischen Gegnern. Im Wahlkampf 1976 übertraf Frau Laurien mit 140 Wahlterminen den Terminkalender ihres Parteikollegen Kohl. «Hanna-Granate», der Spitzname, den die Berliner ihr gegeben haben, beweist, dass sie nicht gerade ein Mauerblümchen ist: «Ich habe mich geweigert, nur weil ich eine Frau bin, das Bussgewand der Selbstunterdrückung in Politik und Kirche zu tragen.»

Das ist tapfer und vernünftig. Von extremistischer Frauenbewegung hält sie nicht viel: Das sind diejenigen, «die den Männerhass gegen den Frauenhass beschwören». Ihre Auffassung lautet: «Die Frau ist nicht der schlechtere Mann, sondern der andere Mensch.» Extreme Feministinnen bezichtigen sie deshalb, «der Ideologie der Andersartigkeit» (sprich Minderwertigkeit) aufgesessen zu sein.

In unserer Kirche sind wir noch weit von extremem Feminismus entfernt. Frau Laurien, deren Schwester protestantische Pfarrerin ist, stellt massvolle Forderungen. Sie möchte den zweiten Schritt nicht vor dem ersten tun und fordert zunächst den Diakonat der Frauen.

Männer: Fürchtet euch nicht!

«Es schmerzt mich, dass unsere Kirche kleinkariert und ängstlich sich als Männerkirche darstellt, dass sie Standhaftigkeit mit Starrheit verwechselt, dass sie – wieder einmal? – die Zeichen der Zeit verpasst, schlimmer, dass sie Träger der Verkündigung zurückweist, weil sie Menschen-Meinung, antiquierte Gesellschaftsformen, verabsolutiert. Was für ein entwürdigendes Verständnis stand hinter der Anordnung, dass Frauen den Altarraum nicht betreten durften. Zum Putzen übrigens galt das nie. Doch Maria steht nicht ausserhalb des Tempels, sie stand unter dem Kreuz. Die Frauen waren erste Zeugen der Auferstehung. Wenn man uns inzwischen auf Katholikentagen reden lässt, wenn im neuen römischen Codex viele der diskriminierenden Vorschriften gefallen sind, warum verweigert man dann den Schwestern den Dienst des Diakonats? Haben wir zu viele Diener des Herrn? Unsere Kirche sollte die Konsequenz aus der Schöpfungswirklichkeit ziehen und im Diakonat die Gleichrangigkeit von Mann und Frau bekunden. Einer Männerkirche rufen wir zu: Fürchtet euch nicht!»

Grunderfahrung Hoffnung

Über diesen innerkirchlichen Disput unserer Zeit reicht ihre Grunderfahrung, die vermutlich auch dann noch Geltung hat, wenn alle Forderungen von Feministinnen erfüllt sein sollten! «Meine Erfahrungen mit so vielen unterschiedlichen Menschen bewahrten mich vor dem Trugschluss, Christen seien die besseren Menschen. Doch weiss ich auch, aus der Person und Botschaft Jesu fliessen Massstäbe, fliesst Vertrauen. Ich wage, stets neu Hoffnung zu leben. Hoffnung, die gleichweit entfernt ist von Utopie und ihrem Traum einer heilen Welt wie von Resignation und ihrem Alptraum des Niedergangs. Hoffnung, die auf der Wirklichkeit des Lebens bei Gott gründet, die Schrekken und Angst kennt, aber nicht Verzweiflung.»

Vgl. Hanna-Renate Laurien: Nicht Ja und nicht Amen. Eine Frau in der Politik beruft sich auf das Christentum. Freiburg/Brg. 1985.

Zu-Fälle: Wer spielt sie uns zu?

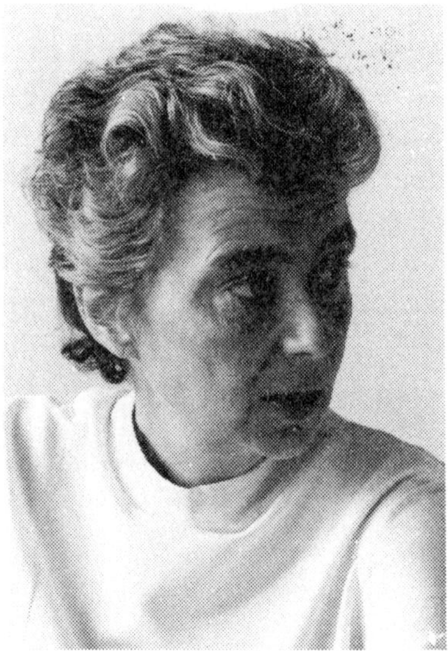

Ruth Pfau
(geb. 1929)

Die Anfänge ihres Lebens fielen in eine düstere Zeit: Nazideutschland, Bombardierungen. Vertreibung, Übersiedlung in den Westen, Hungerjahre der Nachkriegszeit. Das Elternhaus in Leipzig – der Vater war Buchhändler – gab wegen seiner Bindung an eine Sekte keine religiöse Orientierung. Nach dem Abitur studiert sie Medizin und besteht 1956 in Marburg ihr Staatsexamen. Eines der drei Motive zur Berufswahl war: «Dass ich als Arzt im Kriegsfalle wenigstens sicher sei, dem Leben, und nicht dem Töten dienen zu können.» Die Studentin probiert viele weltanschauliche Ismen aus – Nationalsozialismus und Kommunismus hat sie am eigenen Leibe erlebt –, zuletzt das Christentum. 1951 wird sie evangelisch getauft, zwei Jahre später tritt sie zum katholischen Bekenntnis über.

Wahrheit muss tragen

Ihr Rezept: Man muss die Wahrheit existentiell ausprobieren, ob sie ein Leben trägt. Das trifft für Ruth Pfau zu. Die Probe wird bis in die letzte radikale Konsequenz – vielleicht ein Erbstück protestantischer Vergangenheit – getrieben und bestanden. Zwischen der Bindung an einen Menschen – der Mann ihrer Träume war keine Abstraktion – und dem Eintritt in einen Orden fällt die Entscheidung zugunsten der Ordensgemeinschaft. Den barocken Namen mögen einige belächeln: «Töchter vom Herzen Mariä». Wichtiger ist, dass der Gedanke, den die Gemeinschaft vertritt, keiner vergangenen Zeit angehört, sondern höchste Aktualität besitzt: Ordensleben in der Welt, ohne äussere Kennzeichen, getragen von den drei evangelischen Gelübden: Armut, Ehelosigkeit, Gehorsam. Die Gemeinschaft war in der Französischen Revolution entstanden, als keine Schwester sich im Ordenskleid in der Öffentlichkeit zeigen durfte. Die Schwestern leben in ihrem Beruf, als Lehrerinnen, Fürsorgerinnen, im Kaufladen, in den Büros, ohne dass selbst die Nächststehenden wissen, dass eine Ordensfrau neben ihnen wirkt.

Ein Leben gegen den Aussatz

Dr. med. Ruth Pfau verschlägt es nach Karachi, der Hauptstadt von Pakistan. Sie sagt später ironisch, sie sei noch vor dem deutschen Wirtschaftswunder davongekommen! Hier erlebt sie nun das Gegenteil eines Wirtschaftswunders: Die Probleme der Menschenexplosion und der Verelendung. Ruth fängt ganz unten bei denjenigen an, die abgeschrieben, ausgestossen und ausgesondert sind, den Leprakranken. Ihr Glaube ist kein ruhiger Besitz. Sie hat jeden Tag neu mit ihm zu ringen.

«Wenn ein Teil meiner Leprapatienten auf Arm- und Beinstummeln ins Dispensary gekrochen kommt, und wenn mich ihre triefenden, entzündeten, blinden Augen ansehen oder wenn ich ein Baby in der Hand halte, nackt und dürr wie ein Äffchen – dann habe ich anfangs manchmal nicht gewusst, ob ich lästere oder ob ich bete, wenn ich dann halblaut vor mich hinsage: "... also hat Gott die Welt geliebt".»

Ruth setzt ihre Selbstverwirklichung buchstäblich auf eine Karte: Auf den Dienst an den Ärmsten. Die ersten zehn Jahre bleibt sie vorwiegend in Karachi und Umgebung; später geht sie aufs Land, ins Hochland, in die Berge, den Kranken nach. Das ist leicht geschrieben und gesagt. Aber was bedeutet das konkret? Mühsames Erlernen fremder Sprachen und Gebräuche, Ausbildung von Leprahelfern, zähes Verhandeln mit Regierungsstellen, und das alles als Frau in einer mohammedanischen Gesellschaft, in der die Frau kaum mucken darf.

Selbstverwirklichung im Orden?

Der Schlüssel dieses Lebens:
«Ich muss nicht nur lieben können, ich muss mich auch geliebt wissen. Auch dann noch geliebt, wenn alle Vernunftgründe dagegen sprechen. Ich muss mich unsinnig, verrückt, radikal, total hingeben können – und wissen, dass ich ebenso unsinnig, verrückt und radikal angenommen bin. Wenn das für mich nicht existentiell erfahrene Wirklichkeit wäre, würde ich die Konsequenzen ziehen – für weniger als dieses würde sich das Leben nicht lohnen ...» Aus dieser Grundhaltung heraus wird glaubwürdig, was Ruth Pfau über die Ordensgelübde sagt:

«Eines steht für mich fest: Das ganze Bündel der drei Gelübde führt zu einem enormen Zuwachs an Freiheit. Den Beweis kann jeder haben, der es versucht ... Es ist nun einmal das Element der Liebe, dass sie das Ver-rückte will: Eine vernünftige Liebe ist keine Liebe. Von daher ist alles möglich – auch das Un-Einsehbare.» Und zuletzt immer die Frage nach Gott in unserem Leben:

«Führung? Wie oft haben wir über Zu-Fälle gelacht, mit jenem ein wenig unglaublichen Erstaunen. Wer wirft sie uns zu?»

Ruth Pfau wirkt noch heute in Pakistan. Mehr über sie bei Michael Albus: Ruth Pfau. Ein Leben gegen den Aussatz. Düsseldorf 1984.

Das Herz als Massstab gesetzt

Maria Bossard
(1932–1982)

Ihr Name steht in keinem Nachschlagewerk. Auch das neugeplante Historisch-Biographische Lexikon der Schweiz wird sie wohl kaum verzeichnen. In solchen Büchern finden eben nur Grosskopfete Aufnahme. Maria Bossard jedoch hatte das Herz als Massstab ihres Lebens gesetzt.

Als sie am 30. Juli 1982, wenige Tage vor ihrem 50. Geburtstag, beim Blumenpflücken auf dem von Regenfällen aufgeweichten Boden von Rigi-Hochfluh abstürzte, trauerten um sie nicht nur Verwandte und

Freunde. Hunderte von Müttern im Kanton Schwyz konnten es nicht fassen, dass sie ihre Mütterpflegerin, die geliebte Schwester Maria, verloren hatten.

Lebensstationen: Zug, Tansania, Schwyz

Maria Bossard wurde am 8. August 1932 auf einem Bauernhof in der Alznach, Gemeinde Risch (Zug), geboren. Sie war acht Jahre alt, als eine heimtückische Krankheit den Vater dahinraffte. Die Mutter blieb mit fünf unmündigen Kindern zurück. Eine Witwenrente gab es damals nicht. Gerne wäre die fleissige Schülerin Maria Ärztin geworden. Doch angesichts der familiären Situation war daran nicht zu denken. So machte sie nach dem Besuch der Primarschule Holzhäusern und der Sekundarschule Cham einen Sprachaufenthalt im Welschland und begann anschliessend im Liebfrauenhof Zug die Ausbildung als Kinderkrankenschwester.

Für andere dazusein war ihr Herzenswunsch; dafür nahm sie den Verzicht auf eine eigene Familie auf sich. Sie suchte Anschluss an eine Gemeinschaft, die es ihr erlaubte, in der Welt ihren Beruf auszuüben und doch von Gleichgesinnten mitgetragen zu werden. Was sie suchte, fand sie im Säkularinstitut der «Frauen von Schönstatt», einer Gemeinschaft, die sich besonders am Leitbild Mariens, der Mutter Jesu, orientiert. Hier hat sie geistliche Formung, äusseren Halt und innere Kraft für ihren Einsatz aus christlicher Glaubensfreude empfangen. Maria Bossard war in der Gemeinschaft keine fügsame Reih- und Gliedmarschiererin. Ihr Quecksilbertemperament konnte schon für Aufregung sorgen. Wenn sie hier oder andernorts auf einem Stuhl Platz genommen hatte, so sass sie da «wie auf dem Sprung»: um etwas zu tun, zu helfen, eine neue Aufgabe zu übernehmen.

Daran fehlte es nicht. 1959 liess sie sich zur Hebamme ausbilden. Kurze Zeit darauf entschloss sie sich zu einem fünfjährigen Missionseinsatz in Tansania. Hier arbeitete sie an der Impfstation Isingiro, fuhr oft zu Aussenstationen, beriet die Mütter mit ihren Kindern. In die Heimat zurückgekehrt, absolvierte sie noch einen Kurs als Kinderfürsorgeschwester.

Gott allein weiss warum

1969 wurde sie berufen, im Kanton Schwyz eine Mütterberatungsstelle aufzubauen. Jetzt war Maria in ihrem Element. Sie hatte zu schauen, ob ein Kind sich seinem Alter entsprechend richtig entwickelt, den Eltern Sicherheit und Vertrauen in ihre Aufgabe zu geben. Daneben hatte sie Praktikantinnen in kinderreiche Familien zu vermitteln. Im Winter war sie oft mit Ski und Rucksack unterwegs. Über das offizielle Pensum hinaus setzte sie sich überall dort ein, wo sie Not entdeckte: für Bergbauern und Gastarbeiterfamilien, denen es an Kleidern oder an Schuhzeug fehlte, für Kinder, denen ein Ferienaufenthalt guttat.

Aus diesem rastlosen Tagwerk wurde die fröhlich dienende kleine Magd herausgerissen, als sie für liebe Menschen Blumen pflückte. Viele, die ihr begegnet sind oder mit ihr zusammenarbeiteten, haben durch sie erfahren, was ein Mensch fertigbringen kann, der wohl auf manches im Leben verzichtet, jedoch nicht auf die Weiterbildung seines Glaubens. Nur in diesem Glauben verlor auch der tödliche Sturz auf dem Rigi seinen Stachel. Es war kein Fall ins Leere, sondern ein Aufgefangenwerden von Gottes offener Hand.

Quelle: Persönliche Informationen.

Hoffnung von Millionen

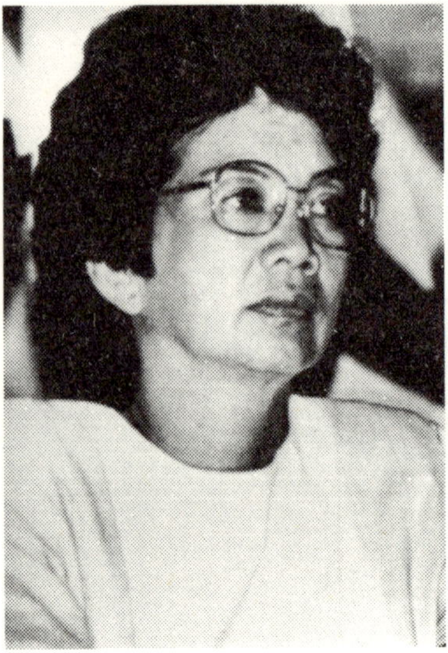

Corazon Aquino
(geb. 1933)

Politische Ambitionen hatte sie nie. Corazon Aquino war zufrieden mit ihrer Aufgabe als Gattin, Hausfrau und Mutter von fünf Kindern. Der 21. August 1983 veränderte ihr Leben. Es war der Tag, an dem ihr Mann, Benigno «Ninoy» Aquino, Senator der Philippinen, bei seiner Rückkehr aus den USA noch auf dem Flugplatz von Manila erschossen wurde. Aus dem Aufbegehren gegen diese feige Tat, in die höchste Regierungskreise, Präsident Marcos selber, verwickelt waren, wurde ein Kampf um Recht und Gerechtigkeit, ein entschlossener Einsatz zur Befreiung von Korruption und Diktatur. Die tapfere kleine Frau, der niemand politisches Charisma zugetraut hatte, wurde zum Symbol einer friedlichen Revolution. Sie zwang zu Beginn des Jahres 1986 Präsident Marcos zur Ausreise und leitete – so hoffen die Filippinos – eine moralische Wende in der Geschichte des Landes ein.

Wandlungsfähigkeit einer Frau

Wer war diese Frau, die eine solche Verantwortung für ihr Land auf sich nahm? Gewiss konnte sie auf manches zurückgreifen, was ihre späte Hinwendung zur Politik begünstigte. Sie stammte aus der Grossgrundbesitzerfamilie der Cojuangcos aus der Provinz Taclac (Zentral-Luzon). Ihr Grossvater war Senator, ihr Vater und zwei Brüder waren Abgeordnete des philippinischen Parlamentes gewesen. Einer ihrer Vettern sonnte sich lange Zeit in der Gunst des Diktators Marcos. Der Rückhalt, den ihre Familie ihr bot, wurde durch eine sorgfältige Erziehung ergänzt. Sie besuchte eine von Ordensfrauen geleitete Schule in Manila, dann das Mount S. Vincent College in New York; hier schloss sie in Französisch und Mathematik ab. Das Jurastudium in Manila gab sie bereits nach einem Semester auf, um im Oktober 1954 den Politiker und Journalisten Aquino zu heiraten. Ihr Mann, der wie sie selber einer wohlhabenden und einflussreichen Familie entstammte, machte rasch Karriere. Er wurde 1967 jüngster Senator der Philippinen und profilierte sich als stärkster Oppositionspolitiker. 1980 durfte er mit seiner Familie ausreisen, um sich in

Amerika einer Herzoperation zu unterziehen. Bei seiner Rückkehr am 21. August streckten ihn dann die tödlichen Schüsse nieder.

Kraft des Glaubens

All das, was Herkunft, Erziehung und Wirken an der Seite eines geliebten Mannes bereitstellten, waren nur Steigbügel. Der Mut, sie zu benutzen, kam von anderswo. Aus einer Überzeugung, dass Unrecht nicht Recht genannt werden dürfe, dass nicht jedes Mittel billig sei, um gegen den Kommunismus zu kämpfen, dass das Sehnen ihres Volkes nach Recht und Gerechtigkeit endlich seine Erfüllung finden müsse. Dieser Glaube war eingebettet in eine grosse persönliche Frömmigkeit, in eine lebendige Beziehung zur Kirche, in die farbigen Riten und Gebräuche philippinischer Volksfrömmigkeit. Eucharistie und Marienverehrung waren Eckpfeiler dieser Frömmigkeit, die nun zögernd, aber stetig auch das soziale und gesellschaftliche Gebiet ergriff. Seitdem es ihr im Frühjahr 1986 gelang – stärker von ihren Freunden gedrängt, als sich selber in den Vordergrund schiebend –, Präsident Marcos zu entmachten, geniesst diese Frau eine Verehrung nahezu religiösen Charakters. Lag nicht ihr Mann auf der Landebahn des Flughafens mit ausgestreckten Armen wie Jesus am Kreuze? War sie, die Witwe, nicht berufen, sich zu opfern für diese Aufgabe, die ihr Mann ihr hinterlassen hatte? «Von Gott gesandt», heisst es in den philippinischen Dörfern über diese Frau, die in wenigen Jahren die Herzen ihres Volkes und die Sympathie einer staunenden Welt eroberte.

Erdrückende Aufgabenlast

Sicher spielten bei der Bewegung der «People Power», die sie emportrug, viele Motive – vor allem religiöse und animistische – mit, die uns schwer verständlich sind. Aber was wir sehen können, ist das Ausmass der Aufgaben, die auf sie und ihre Mitarbeiter zukommen: Ein Land von 700 bewohnten Inseln mit etwa 55 Millionen Einwohnern aus feudaler Ausbeutung – 60 bis 70 Prozent aller Familien leben an der unteren Armutsgrenze mit einem Einkommen von 200 Franken; 10% besitzen mehr als 90% des Landes – in halbwegs erträgliche Verhältnisse zu führen. Die Ungeduld ist gross, die Gefahren, die um sie lauern, sind noch grösser: der Eigennutz des Familienclans, dem sie zugehört, die Gläubigerbanken, die Kredite sperren möchten, das Machtstreben der Militärs, die das Land praktisch beherrschen, die Revanchegelüste der alten Machthaber. Länger als man ihr prophezeite, konnte sie sich bisher halten. Sie verdient in höchstem Mass nicht nur Bewunderung, sondern vor allem die Solidarität all derer, die ihren Glauben an einen gerechten Gott teilen.

Macht und Ohnmacht auf den Philippinen. Die Kirche der Befreiung als einende Kraft. Hrsg. Fritz Köster und Paul M. Zulehner. Olten und Freiburg/Brg. 1986.

PERSONENREGISTER

Adam, Karl; 130
Adelheid, Grossherzogin
von Luxemburg
Adenauer, Konrad; 206
Ambühl, Joseph; 110
Aquino, Benigno; 238 ff.
Aquino, Corazon; *238–241*
Augustinus; 61

Barot, Madeleine; *160–164*
Barth, Karl; 97 f.
Bécaud, Gilbert; 204
Bellarmin, Robert; 77
Bioley, Madame; 195
Bismarck, Otto von; 149
Blum, Franz Christian; 113
Blüm, Norbert; 90
Bodelschwingh, Friedrich von; 15
Borgia, Franz von; 77
Borsinger, Hilde Vérène; 104
Bossard, Maria; *234–237*
Brandsma, Titus (Anno-Sjoerd); *35–39*
Brändström, Elsa; *72–75*
Brassens, Georges; 204
Brüning, Petra; 130
Brunner, Emil; 191
Buber, Martin; 226
Bührig, Marga; *190–193*
Bullinger, Heinrich; 114
Bütler, Heinrich; 113

Camoes, Luiz de; 124
Cardijn, Josef (Jeff); *50–53*
Carossa, Hans; 23
Carretto, Carlo; *170–174*
Cesbron, Gilbert; 167
Chantal, Jeanne Frémiot de; siehe Frémiot de Chantal Jeanne
Chruschtschow, Nikita; 137
Cinquin, Emmanuelle genannt Emanuela von Kairo; *155–159*
Conrad-Martius, Hedwig; 102 f.
Crivelli, Giuseppe; *109–113*

Dante, Alighieri; 61
Day, Dorothy; *105–108*
Day, Tamar; 106
Delbrêl, Madeleine; *131–135*
Delp, Alfred; *146–149*
Delp, Maria; 146
Dessauer, Friedrich; *40–44*
Dessauer, Hugo; 41
Dibelius, Otto; 153
Dirks, Walter; 42
Döpfner, Julius; *181–185*
Dossetti, Giuseppe; 138, *186–189*
Dostojewski, Fjodor; 61
Duval, Aimé; *204–207*

Eidem, Erling; 71
Eisner, Kurt; 119
Emanuela von Kairo; siehe Cinquin Emmanuelle
Erhard, Ludwig; 89

Fanfani, Amintore; 138, 187
Faulhaber, Michael von; 148
Foerster, Friedrich Wilhelm; 93
Folliet, Joseph; 143
Forster, Karl; 184
Foucauld, Charles de; 171
Franco, Bahamonde Francisco; 97
Franz von Assisi; 139, 152
Freisler, Roland; 71, 94, 149
Frémiot de Chantal, Jeanne; 54
Freud, Sigmund, Familie; 128
Freudenberger, Adolf; 162
Fröbe, Olga; 120

Galen, Clemens August Graf; 130
Gasperi, Alcide de; 188
de Gaulle, Charles; 47
Gide, André; 122
Gmeiner, Hermann; *208–211*
Gregor VIII.; 113
Guardini, Romano; *59–62*

Hauptmann, Gerhard; 124
Heine, Heinrich; 170
Hengartner, Meinrad; *221–224*
Hitler, Adolf; 23, 70 f., 103, 129, 148, 150 ff.
Ho-Chi-Minh; 140
Hodler, Ferdinand; 119
Hofer, Walter; 113
Hohl-Custer, Reinhard; 81
Hölderlin, Friedrich; 61
Husserl, Edmund; 102

Ignatius von Loyola; 86, 124

Jägerstätter, Franz; *150–154*
Johannes XXIII.; *45–49,* 141 f., 145, 197
Johannes Paul II.; 35, 174
Johannes vom Kreuz; 37, 124
Johnson, Lyndon; 140
de Jong, Erzbischof von Utrecht; 35
Journet, Charles; *96–100*
Juan de la Cruz; siehe Johannes vom Kreuz

Kaehler, Else; 191
Karrer, Otto; *76–80*
Kessler, Harry Graf; 72 f.
Kierkegaard, Sören; 61, 124
King, Martin Luther; 31
Klee, Paul; 119
Kolping, Adolf; 110
Kurz, Albert; 82
Kurz, Gertrud (geb. Hohl); *81–85*
Kurz, Hans Rudolf; 82

La Farge, John; *31–34*
Lagerlöf, Selma; 73
La Pira, Giorgio; *136–140,* 187
Laurien, Hanna-Renate; *225–229*
Lebbe, Vinzenz (Freddy); *26–30*
Lebret, Louis; 167
Lebreton, Jacques; *216–220*
Lenin, Wladimir und sein Bruder Alexander; 50
Lercaro, Giacomo; 188 f.
Lhande, Pierre; 143
Loew, Jacques; *165–169*
Lubich, Chiara; *212–215*

Mächler, Anton; 110
Marc, Franz; 119
Marcos, Fernando; 238 ff.
Maritain, Jacques; 98
Marx, Karl; 87
Max, Herzog zu Sachsen; *17–20*
Mayer, Rupert; *21–25*
Meersch, Maxence van der; 52
Meier, Josef; 222
Merki, Martin; 223
Metzger, Hans, Pfarrer in Basel; 113
Metzger, Max Joseph; *68–71*
Micheli, Geneviève geb. de Lacroix; *54–58*
Micheli, Leopold; 55
Micheli, Pierre; 56
Mitterrand, François; 181
Moltke, Helmuth James Graf; 148
Montini, Giovanni Battista; siehe Paul VI.
Moore, Henry; 128
Moro, Aldo; 187

Nell-Breuning, Oswald von; *86–90*

Oeri, Albert; 83

Pascal, Blaise; 61, 158, 195
Paul VI.; 138, 184, 189
Paulhan, Jean; 196
Pfau, Ruth; *230–233*
Philipp II.; 124
Pierre, Abbé; 202
Pius XI.; 28, 34, 52, 88
Pius XII.; 47, 71, 112, 182
Plato; 61

Rahner, Hugo; 120 f.
Reagan, Ronald; 181
Reck, Dr.; 94
Rilke, Rainer Maria; 61
Roncalli, Angelo; siehe Johannes XXIII.
Röntgen, Wilhelm; 41
Rosenberg, Alfons; *118–121*
Rossé, Josef; 125

Sadat, Anwar-el; 140
Salomon, Alice; 92
Schmidt, Helmuth; 89
Schneider, Reinhold; *122–126*
Schulenburg, Fritz von der; 127
Schulenburg, Tisa von der; *127–130*
Schuman, Robert; *63–67*
Schutz, Roger; 57, *194–198*
Segantini, Bianca; 94
Seton, Elisabeth; 54
Shakespeare, William; 175, 199
Siegmund-Schultze, Friedrich; 92
Sokrates; 61
Sonnenschein, Carl; 23
Sourire, Sœur (Janine Deckers); 204
Spaemann, Heinrich; 130
Stalin, Josef; 137
Steiger, Eduard von; 83
Stein, Edith; *101–104*
Stein, Rosa; 104
Stock, Franz; *141–145*
Streng, Franziskus von; 111
Ströder, Josef; *175–180*
Suenens, Léon-Joseph; 52

Teresa von Kalkutta; siehe Theresa von Kalkutta
Thadden-Trieglaff, Elisabeth von; *91–95*
Theresa von Kalkutta; 215
Therese von Avila; 37, 103, 124
Thomas von Aquin; 99
Tiele-Winckler, Eva von; *13–16*
Tolstoi, Leo; 189
Tschang-Kai-Chek; 29

Ulich, Robert; 75
Unamuno, Miguel de; 124

Veltheim, Hans Hasso von; 94 f.
Vinzenz von Paul; 27
Visser't Hooft, Willem; 162 f.
Vogt, Paul; *114–117*

Wilhelm II., deutscher Kaiser; 87
Wirth, Josef; 42
Wresinski, Joseph; *199–203*

Bildnachweis

Keystone: SS. 21, 45, 181, 190, 238
«La Liberté» Fribourg: SS. 96, 155, 194, 204, 212
Echter Verlag Würzburg: S. 40
C. Bergholz, Genève: S. 54
WA 2 Redaktion, Dorsten: S. 127
O. Schmidt, Würzburg: S. 175
H. Gmeiner-Akademie, Wien: S. 208
H. Kutnewsky, Wiesbaden: S. 230
A. Bürgi-Kurz, Bern: S. 81
Ecole de la foi, Fribourg: S. 165
Die übrigen Fotos stammen aus dem Archiv des Autors.